Harald Kirschninck

Der Zug ohne Wiederkehr

Die Deportationen jüdischer Mitbürger von Elmshorn

Bibliografische Information der Deutschen Nationalbibliothek:
Die Deutsche Nationalbibliothek verzeichnet diese Publikation in der Deutschen Nationalbibliografie; detaillierte bibliografische Daten sind im Internet über http://dnb.dnb.de abrufbar.

Illustration: **Harald Kirschninck**

Herstellung und Verlag: BoD – Books on Demand, Norderstedt

ISBN: 978-3-7460-3058-6

Inhalt

Anders als bisher bekannt, sind von den Juden, die in Elmshorn geboren sind, zeitweise oder auch ständig lebten, nicht 21, sondern mehr als doppelt so viel, nämlich mindestens 43 Personen deportiert worden.

Hiervon verschleppten die Nationalsozialisten nach

Fuhlsbüttel	1	
Auschwitz	7	
Bergen-Belsen	1	
Trawniki	1	
Lodz (Litzmannstadt)	2	
Minsk	6	
Riga	6	
Warschauer Ghetto	1	
und Theresienstadt	17	Juden.

Albert Hirsch nahm sich das Leben in Hamburg-Ohlsdorf.

Von den verschleppten Mitbürgern haben nur vier Personen überlebt:
Gerald Adler
Max Hasenberg
Herta Helischkowski und
Minni Petersen.

Die anderen wurden in den verschiedenen Lagern ermordet oder kamen unter den entsetzlichen Bedingungen ums Leben.

Wie sahen diese Lager und Vernichtungsstätten aus, wo lagen sie und wie sind sie entstanden?

Elmshorner Opfer:
Hermann Blumenfeldt, geb. am 30.3.1872 in Elmshorn, deportiert 28.3.1942, gest. 1942.

Das Dorf Trawniki liegt etwa 40 km östlich von Lublin. Auf dem Gelände einer alten Zuckerfabrik errichteten die Nationalsozialisten im Herbst 1941 ein Zwangsarbeitslager, dem ein SS-Ausbildungslager für angehende Wachmannschaften für die Lager und die Deportationen von Juden angeschlossen wurde. Diese aus Letten, Esten, Litauern und Ukrainern bestehenden Freiwilligen nannte die SS und die örtliche Bevölkerung auch „Trawnikis" oder „Hiwis" (Hilfswillige). Seit Oktober 1941 unterstand das Lager dem SS-Sturmbannführer Karl Streibel. (1) Im Frühjahr 1942 wurden Juden aus Deutschland, Österreich und der Tschechoslowakei nach Trawniki deportiert, unter ihnen der Elmshorner Hermann Blumenfeldt. Viele von ihnen starben an Hunger und Krankheiten, die Überlebenden wurden in das Vernichtungslager Belzec gebracht oder in der Umgebung erschossen. Nach dem Aufstand in Sobibor am 14. Oktober 1943 befahl Heinrich Himmler, alle Arbeitslager im Distrikt Lublin zu liquidieren. Die nun folgende Vernichtung wurde „Aktion Erntefest" genannt. Am 3. November 1943 liquidierte die SS das Lager Trawniki. 10.000 Juden wurden aus dem Lager getrieben und in vorher ausgehobenen Gruben erschossen.
Vermutlich ist Hermann Blumenfeldt aber nie in Trawniki angekommen:

„Im Verlauf der Deportationen in den Distrikt Lublin ab März 1942 wurde kein einziger „Judentransport" aus dem Reich in Trawniki untergebracht. (...) Allerdings zeigt die Darstellung der einzelnen Transporte, dass der Stab des Lubliner SS- und Polizeiführers (Anm. Verf.: Odilo Globocnik) die Züge mit Juden aus dem „Großdeutschen Reich" zwischen Mitte März und Mitte Juni 1942 in die – zumeist nicht weit von Trawniki entfernt gelegenen Ortschaften Izbica (...), Piaski (...), Rejowiec (...), Zamosc (...) und in andere Dörfer des Lubliner Distrikts leitete." (2)
Die Ermordung fand dann zumeist im Vernichtungslager Belzec statt.

Elmshorner Opfer:
John Hasenberg, geb. am 8.10.1882 in Elmshorn, deportiert am 23.6.1943, gestorben am 23.1.1945 im Eisenbahnzug in Laupheim (Biberach).

Das KZ Bergen-Belsen lag etwa 60 km nordöstlich von Hannover in der Lüneburger Heide. Im Jahr 1940 wurde von der deutschen Wehrmacht ein Kriegsgefangenenlager für französische und belgische Soldaten eingerichtet. Seit Juli 1941 wurden dort auch etwa 20.000 sowjetische Kriegsgefangene interniert, von denen bis zum Frühjahr 1942 rund 14000 Gefangene an Hunger, Kälte und Krankheiten (Fleckfieber) starben.
Im April 1943 wurde ein Teil des Lagers von der SS zu einem KZ für Juden, vor allem ausländischer Nationalität umgewandelt. Diese sollten gegen Devisen oder auch gegen im Ausland festgesetzte Deutsche ausgetauscht werden. Daher nannte man das KZ auch „Aufenthaltslager Bergen-Belsen der Waffen-SS". Seit Juni/Juli 1943 wurden die ersten KZ-Häftlinge nach Bergen-Belsen deportiert.
Der vorgesehene Personenkreis wurde in den „Richtlinien des Reichssicherheitshauptamtes" wie folgt beschrieben:

1) Juden mit verwandtschaftlichen oder sonstigen Beziehungen zu einflussreichen Personen im feindlichen Ausland,
2) Unter Zugrundelegung eines günstigen Schlüssels für einen Austausch gegen im feindlichen Ausland internierte oder gefangene Reichsangehörige in Frage kommende Juden,
3) Als Geiseln und als politisch oder wirtschaftliche Druckmittel „brauchbare" Juden,
4) Jüdische Spitzenfunktionäre.

Das „Aufenthaltslager" war in mehrere Abteilungen aufgegliedert, die streng voneinander isoliert waren:

a) dem „Sternlager" mit Arbeitszwang und sehr schlechter Verpflegung. Die Gefangenen mussten einen Judenstern tragen.
b) dem „Neutralenlager" mit Juden aus neutralen Staaten. Hier gab es keinen Arbeitszwang und die Verpflegung war etwas besser.

C) dem „Sonderlager" mit polnischen Juden, die Ausweise von verschiedenen Ländern besaßen.

"Die Zustände im Lager waren wirklich unbeschreiblich; kein Bericht und keine Fotografie kann den grauenhaften Anblick des Lagergeländes hinreichend wiedergeben; die furchtbaren Bilder im Innern der Baracken waren noch viel schrecklicher. An zahlreichen Stellen des Lagers waren die Leichen zu Stapeln von unterschiedlicher Höhe aufgeschichtet; einige dieser Leichenstapel befanden sich außerhalb des Stacheldrahtzaunes, andere innerhalb der Umzäunung zwischen den Baracken. Überall im Lager verstreut lagen verwesende menschliche Körper. Die Gräben der Kanalisation waren mit Leichen gefüllt, und in den Baracken selbst lagen zahllose Tote, manche sogar zusammen mit den Lebenden auf einer einzigen Bettstelle. In der Nähe des Krematoriums sah man Spuren von hastig gefüllten Massengräbern. Hinter dem letzten Lagerabteil befand sich eine offene Grube, halb mit Leichen gefüllt; man hatte gerade mit der Bestattungsarbeit begonnen. In einigen Baracken, aber nicht in vielen, waren Bettstellen vorhanden; sie waren überfüllt mit Gefangenen in allen Stadien der Auszehrung und der Krankheit. In keiner der Baracken war genügend Platz, um sich in voller Länge hinlegen zu können. In den Blocks, die am stärksten überfüllt waren, lebten 600 bis 1.000 Menschen auf einem Raum, der normalerweise nur für hundert Platz geboten hätte. In einem Block des Frauenlagers, in welchem die Fleckfieberkranken untergebracht waren, gab es keine Betten. Die Frauen lagen auf dem Boden und waren so schwach, dass sie sich kaum bewegen konnten. Es gab praktisch keine Bettwäsche. Nur für einen Teil dieser Menschen waren dünne Matratzen vorhanden, die Mehrzahl aber besaß keine. Einige hatten Decken, andere nicht. Manche verfügten über keinerlei Kleidung und hüllten sich in Decken, andere wiederum besaßen deutsche Krankenhauskleidung. Das war das allgemeine Bild." (3)

Allein zwischen Januar und April 1945 starben in Bergen-Belsen 35.000 Menschen. Am 15.April 1945 wurde das Lager durch die britische Armee befreit.

Elmshorner Opfer: Geschwister
Änne Rosenberg, geb. 29.10.1894 in Elmshorn, deportiert 25.10.1941 nach Litzmannstadt, weiter am 8.11.1941 nach Minsk
Julius Rosenberg, geb. 29.8.1884 in Elmshorn, deportiert 25.10.1941 nach Litzmannstadt, weiter am 8.11.1941 nach Minsk

In Lodz wohnten zu Beginn des 2. Weltkrieges ca. 180.000 Juden. Am 11. April 1940 wurde die Stadt nach dem General Karl Litzmann (1850-1936), einem NS-Würdenträger, in Litzmannstadt umbenannt. Am 8. Februar 1940 wurden aus der Altstadt, dem Proletarierviertel Baluty und dem Vorort Marysin das Ghetto gebildet. Es bestand aus anfangs 4,13 Quadratkilometern mit insgesamt 28400 Wohnräumen. Am 30. April 1940 wurde es endgültig von der Außenwelt isoliert. Das Gelände war nicht kanalisiert, es konnten daher auch keine Kontaktaufnahmen mit der übrigen Stadtbevölkerung stattfinden. Rund um das Ghettogelände waren Stacheldrahtsperren gezogen und im Abstand von maximal 100m Posten der Schutzpolizei aufgestellt, die jeden Juden, der das Ghetto verlassen wollte, ohne Vorwarnung erschießen durften. Die tschechischen Überlebenden Vera Arnsteinnovà und Mája Randová berichteten:

„Fäkalien flossen den Bürgersteig entlang. Bei der Ankunft fanden wir Hinterhöfe vor, die voller Müll waren. Baluty bestand aus Stein- und Holzhäusern mit großen Höfen, die untereinander verbunden und völlig verwahrlost waren. Erst als eine Epidemie drohte und die Deutschen Angst vor Epidemien hatten, ließen sie den Müll wegräumen. Es drohten Cholera, Gelbsucht, Typhus. Für Mutters Kleider tauschten wir Waschschüsseln und Kübel ein, um existieren zu können. Laufend gingen aus dem Ghetto die ersten Transporte ab, und niemand wusste, wohin. Reihenweise starben die Menschen an Hunger und Krankheiten. Wir zogen in eine freigewordene Wohnung um – vier Personen in einem Zimmer mit zwei Pritschen. Tausende Wanzen, derer man nicht Herr wurde. (...) Wanzen, Flöhe, Kleiderläuse. Bei der Essensausgabe lange Schlangen, und man konnte beobachten, wie die Läuse von einem zum anderen sprangen. Die Läuse übertrugen Flecktyphus. Für die ausgehungerten und erschöpften Menschen war es schrecklich schwer, im Winter für tägliche Hygiene zu sorgen. Als wir ankamen, teilte man uns irgendeine Rübensuppe aus. Wir konnten sie nicht essen, aber die Einwohner bettelten darum. Bald haben auch wir sie geschluckt. Die ganzen Jahre war der Hunger im Ghetto am schlimmsten, vor Hunger starben Alte und Junge." (4)

Am 26.10.1941 wurden die Geschwister Rosenberg mit dem Transport von 1063 Menschen aus Hamburg deportiert. Ob die Geschwister tatsächlich am 8.11.1941 nach Minsk weiter transportiert wurden oder nicht doch entweder im Ghetto oder im Vernichtungslager Chelmno in Gaswagen ermordet wurden, wie der größte Teil der 145000 Opfer von Litzmannstadt ist nicht mit Sicherheit zu sagen. Allein zwischen Dezember 1941 und Herbst 1942 sollen 85.000 Bewohner des Ghettos getötet worden sein. Am 17. Januar 1944 wurde Lodz befreit. Vorher sind bis auf kleine Reste alle Einwohner des Ghettos nach Auschwitz deportiert worden.

Theresienstadt (Terezin)

Elmshorner Opfer:
Gerhard Adler, geb. 27.6.1925 in Elmshorn, dep. 1943, überlebt, gest. 5.10.1992 in Vineland/USA
Minna Bachrach, geb. 11.1.1873 in Elmshorn, deportiert am 15.7.1942, gest. 7.8.1942
Rosa Goldschmidt, geb. Oppenheim, geb. 23.12.1868 in Elmshorn, dep. 15.7.1942, gest. 17.12.1942
Max Hasenberg, geb. am 26.1.1898 in Elmshorn, lebte in Hamburg, dep. 15.7.1942, überlebt
Hertha Helischkowski, geb. Hasenberg, geb. 25.5.1903 in Elmshorn, lebte in Berlin, dep. am 30.10.1942, überlebt
Ferdinand Hertz, geb. 7.11.1861 in Elmshorn, dep. 15.7.1942, gest. 28.7.1942
Regine Hertz, geb. 25.4.1868 in Elmshorn, dep. 23.6.1943, gest. 31.10.1943
Emma Israel, geb. Oppenheim, geb. am 2.12.1858 in Elmshorn, dep. 19.7.1942, weiter nach Minsk, gest. 1942
Paula Israel, geb. 19.8.1892 in Elmshorn, dep. 19.7.1942, weiter nach Minsk, gest. 1942

Henriette Lippstadt, geb. Rothgiesser, geb. am 8.8.1872 in Hamburg, wohnte in Elmshorn, dep. 15.7.1942, gest. 15.11.1943

Olga Marx, geb. Sternberg, geb. am 11.9.1886 in Elmshorn, wohnte in Main, dep. 27.9.1942, gest. 4.7.1944

Lea Nemann, geb. am 15.5.1868, wohnte in Elmshorn, dep. vermutl. . Juli 1942, gest. 18.10.1942

Recha Oppenheim, geb. Gumpel-Fürst, geb. 13.2.1863 in Lübeck, wohnte in Elmshorn, dep. 19.7.1942, gest. 1942

Minni Petersen, geb. Hertz, geb. 23.6.1905 in Elmshorn, dep. 12.2.1945 !, überlebte und wurde befreit und am 19.6.1945 entlassen

James Philipp, geb. 12.1.1872 in Elmshorn, dep. 9.6.1943, gest. 18.10.1943

Johanna Simon, geb. Susmann, geb. 20.6.1864 in Elmshorn, dep. 19.7.1942, gest. 8.2.1944.

Mary Sternberg, geb. Hirsch, geb. 12.6.1862 Oldesloe, wohnte in Elmshorn und Hamburg, dep. 15.7.1942, gest. 21.8.1942

Das Ghetto Theresienstadt (Terezin) lag im Nordwesten der Tschechischen Republik. Erstmals erwähnt wurde das Ghetto am 10.Oktober 1941. Zunächst sollten vor allem Juden aus Böhmen und Mähren über Theresienstadt nach Osten deportiert werden. Die Nationalsozialisten planten dann bei der Wannseekonferenz am 20. Januar 1942 ein Altersghetto, in das alle Reichsjuden über 65 Jahren, schwerkriegsbeschädigte Juden, ehemals jüdische Soldaten mit Kriegsauszeichnungen, Prominente und Juden aus anderen westeuropäischen Ländern deportiert werden sollten. Der Aufenthalt sollte nur vorübergehend sein, das Ziel waren die Vernichtungslager im Osten. Nachdem Dänemark mit ausländischem Druck den Verbleib ihrer jüdischen Landsleute herausfinden wollte, gestatteten die Nationalsozialisten dem Internationalen Roten Kreuz im Juni 1944 Theresienstadt zu besuchen. Dazu war das Ghetto in den vorhergehenden Wochen und Monaten „verschönert" worden. So wurden, um die Überbelegung des Lagers zu senken, die Transporte nach Auschwitz verstärkt. Die mit dieser Aktion transportierten Juden wurden zunächst in Auschwitz isoliert, damit sie eventuell bei einer Kontrolle des Roten Kreuzes präsentiert werden konnten. Nach der Aktion wurden sie ermordet. Als Krönung wurde noch ein Propagandafilm „Der Führer schenkt den Juden eine Stadt" gedreht. Die Darsteller wurden anschließend getötet. Ein Viertel der 140.000 Häftlinge starben durch die entsetzlichen Lebensumstände und Seuchen, etwa 90.000 wurden in die Vernichtungslager Auschwitz, Treblinka, Majdanek , Sobibor u.a. weiterdeportiert.

Zwei Wochen bevor die Rote Armee am 8.Mai 1945 das Lager erreichte, wurde es dem Roten Kreuz übergeben. (5)

Minsk

Elmshorner Opfer:
Heinrich Basch, geb. 27.3.1900 in Wien, deportiert 18.11.1941, verst. 1941
Otto Cohn, geb. 10.5.1898 in Elmshorn, dep. 8.11.1941, gest. 1941
Ilse Lippstadt, geb. 31.12.1905 in Elmshorn, dep. 18.11.1941, gest. 1941, auf dem Feld erschossen
John Löwenstein, geb. 23.10.1886 in Elmshorn, dep. 8.11.1941
Gustav Stern, geb. 27.3.1877 in Hannover, wohnte in Elmshorn, dep. 8.11.1941, gest. 1941
Friederike Stork, geb. Rosenberg, geb. 20.3.1883 in Elmshorn, dep. 8.11.1941, gest. 1941, war die Schwester von Änne und Julius Rosenberg (dep. nach Litzmannstadt)

Mit den zwei Transporten vom 8.11.1941 und 18.11.1941 wurden 1420 Juden aus Hamburg (darunter auch acht Elmshorner) nach Minsk deportiert. Dort hat man von dem ursprünglichen Ghetto ein abgetrenntes „Sonderghetto" eingerichtet, in dem die Juden aus Deutschland untergebracht wurden. Innerhalb des „Sonderghettos" wurden noch einmal je nach geographischer Herkunft der Deportierten drei Gruppen unterschieden. Vor Ankunft der Deportationszüge wurden vom 7.-11. November 1941 etwa 6000 weißrussische Juden im Wald von Blagowschtschina 13 km südöstlich von Minsk erschossen. Seit Mai 1942 waren die ausgehobenen 3m breiten und tiefen, 50 m langen Massengräber im Wald die zentrale Mord- und Hinrichtungsstätte der deutschen Besatzer. Das größte Pogrom im Ghetto fand vom 28.-30. Juli 1942 statt, dem etwa 30.000 Juden zum Opfer fielen. Die Vorgehensweise war immer die gleiche:

Kommandos trieben die Menschen aus ihren Unterkünften zusammen. Dann wurden sie in Gruppen mit Lastwagen zu der Exekutionsstätte, in diesem Falle der Wald von Blagowschtschina oder Maly Trostenez transportiert. Hier hatten sich die Opfer vollkommen zu entkleiden, dann wurden sie zu der Grube getrieben. Je nach Länge des Massengrabes waren bis zu zwanzig Mann mit Pistolen an der Grube postiert, unterstützt von Mannschaften, die das Gelände umstellten und absicherten. Es wurden immer Pistolen benutzt. In der Regel bekam jeder der zwanzig Männer 25 Schuss bis zur nächsten Gruppe von Opfern. Die Juden wurden mit einem Genickschuss getötet und fielen in die Grube. Wenn der Verdacht aufkam, dass der Schuss nicht tödlich war, wurde erneut geschossen. Abschließend wurde mit einem Maschinengewehr solange in die Grube geschossen, bis sich nichts mehr regte. Darüber hinaus wurde nicht mehr untersucht, ob alle gestorben waren. Es kam die nächste Gruppe an die Grube oder sie wurde zugeschüttet. (6)

„Direkt vor der Massenerschießung hatten sich alle zu entkleiden und ihre Kleidung auf einen Haufen zu werfen. Zwei junge Frauen beobachteten eine ältere verwirrte Frau, die aufgeregt herumlief, keinen Versuch machte, sich zu entkleiden. Darauf gingen die zwei Frauen zu ihr, überredeten und entkleideten sie. Dann, ohne ein Wort des Protestes, nahmen die beiden jungen Frauen die älter Frau zwischen sich, jede hielt sie an einer Hand, und legten sich auf die noch warmen Körper der soeben Erschossenen, um ihren Tod zu erwarten. Weder sie noch andere baten die Mörder um Gnade." (7)
Neben den Massenerschießungen kamen auch drei Gaswagen zum Einsatz, große geschlossene Lastwagen, in die man Autoabgase einleitete, so dass die Menschen qualvoll starben. (8)

Seit dem Pogrom befanden sich noch 9000 Juden im Ghetto. Der größte Teil von ihnen wurde bei der Auflösung am 21.10.1943 ermordet. Im Oktober 1943 wurden die 34 Massengräber wieder geöffnet und die 150.000 Leichen verbrannt, um Spuren zu beseitigen. Nach Auflösung des Lagers und den Todesmärschen waren nur noch 20 Juden aus Minsk am Leben.

Riga (KZ Jungfernhof)

Elmshorner Opfer:
Selma Levi, geb. Löwenstein, geb. 7.6.1883 in Elmshorn, dep. 6.12.1941, gest. 1941

Karl Löwenstein, geb. 17.8.1880 in Rehberg, wohnte in Elmshorn, dep. 6.12.1941, gest. 1941

Meyers, Bertha, geb. Meyer, geb. 27.8.1894 in Elmshorn, wohnte in Stadtlohn, dep. 13.12.1941

Sternberg, Magda, geb. 19.7.1885 in Elmshorn, wohnte in Dresden, dep. 21.1.1941, weiter deportiert nach 2.11.1943 nach Auschwitz, dort ermordet

Sternberg, Otto, geb. 29.9.1881 in Elmshorn, lebte in Duisburg, dep. 11.12.1941, weiter 1943 nach Auschwitz, dort ermordet.

Günther Simon Valk, geb. 4.4.1921 in Altona, wohnte in Elmshorn, dep. (vermutl. 6.12.) 1941, gest. 1941

Albert Hirsch, geb. 24.9.1878 in Mogilno, nach Zustellung des Deportationsbefehls für diesen Transport nahm er sich auf dem Friedhof in Hamburg-Ohlsdorf am 1.12.1941 das Leben.

Am 6. Dezember 1941 verließ ein Deportationszug um 0:11 Uhr den Hannöverschen Bahnhof in Hamburg. Im Zug waren 753 Juden, darunter 3 Personen aus Elmshorn und der Oberrabbiner Joseph Carlebach mit seiner Familie aus Hamburg. Nach dem Erhalt der Deportationsbescheide verübten 13 Juden Selbstmord, darunter auch Albert Hirsch. Das Ziel des Zuges war Riga in Litauen, das er am 9.12.1941 erreichte. Die Opfer dieses Transportes wurden in das Konzentrationslager Jungfernhof, 3 km südlich des Bahnhofes getrieben, bei Temperaturen unter minus 40 Grad. Sofern die Elmshorner nicht gleich bei der Ankunft erschossen, im Lager an Hunger oder Krankheiten und Misshandlungen gestorben sind, sind sie wahrscheinlich bei der „Aktion Dünamünde" am 26.3.1942 ermordet worden, wo der Hauptteil des Hamburger Transportes getötet worden ist. Ein Überlebender aus Hamburg berichtete:

Lager-Kommandant Seck befahl dem Lagerältesten Kleemann, er solle eine Liste der auszusondernden Juden erstellen. Seck selbst benannte 440 Juden, die in Jungfernhof bleiben sollten. Dieses waren gesunde, starke Leute, die man gut in der Landwirtschaft einsetzen konnte und Juden, die spezielle Fähigkeiten und Berufe aufweisen konnten. Ausgesondert wurden:

1.   Alte und Kranke
2.   Kinder unter 14-14 Jahren mit ihren Müttern
3.   Juden über 46-50 Jahren, die nicht voll arbeiten konnten.

Insgesamt waren es 3000 Leute. Ihnen wurde erzählt, sie würden nach Dünamünde gebracht werden, wo sie bessere Lebensbedingungen und leichtere Arbeit in einer Konservenfabrik erhalten sollten. Am 26.März 1942 wurden diese mit Bussen und Lastkraftwagen abtransportiert. Das gesamte Gepäck sollten sie zurücklassen. Es war ein Shuttle-System eingerichtet worden, bis alle weggefahren worden sind. Die Busse und LKWs kamen immer nach 15-20 Minuten leer zurück. Die Opfer wurden in den Wald von Bikerneiki in der Nähe von Riga gefahren, wo Arbeitskommandos große Gruben ausgehoben hatten. Dort wurden alle erschossen. Hier kam auch Oberrabbiner Carlebach ums Leben.
Eine Einwohnerin berichtete:

„ Mein Haus ist ungefähr 1 bis 1,5 km vom Wald entfernt. Ich konnte daher sehen, wie die Leute in den Wald gebracht wurden und konnte hören, wie man sie erschoss. (…) Es war am Karfreitag und Ostersonnabend 1942. Die Leute wurden mit Bussen und grauen Fahrzeugen gebracht (…) Allein am Freitag zählte ich 41 Busse bis 12. (…) Tag und Nacht hörten ich und andere Einwohner die Schüsse von Gewehren und automatischen Waffen. (…) Am Ostersonntag war alles ruhig. (…) Wie viele andere gingen ich und meine Familie in den Wald. (…) Unter den vielen Gräbern sahen wir ein offenes Grab mit erschossenen Leichen. Die Körper lagen durcheinander, nur leicht angezogen oder in Unterwäsche. Es waren Körper von Frauen und Kindern. Die Körper zeigten Anzeichen von brutalen Misshandlungen und Quälereien, bevor sie erschossen wurden. Viele hatten Schnitte im Gesicht, Schwellungen an den Köpfen, einige mit abgetrennten Händen, ihre Augen herausgerissen oder ihre Bäuche aufgeschlitzt. Neben dem Grab waren Blutlachen, Haare, abgetrennte Finger, Gehirne, Knochen, Schuhe von Kindern und andere persönliche Gegenstände …
Ausländische Juden wurden also erschossen. Man konnte es an den verschiedenen zurückgelassenen Sachen erkennen. Neben beinahe jedem Grab waren Rückstände eines Feuers … An den Feuerstellen und neben den Gräbern lagen verschiedene Dokumente, Fotografien und Ausweise. Aus diesen konnte man die Herkunft der Leute erkennen… Ich sah, dass sie aus Österreich, Ungarn, Deutschland und anderen Ländern kamen… Vor ihrer Flucht beseitigten die Faschisten alle Spuren. Im Sommer des gleichen Jahres öffneten sie die Gräber im Bikernieki-Wald, exhumierten die Körper und verbrannten sie." (9)

Das KZ Jungfernhof bestand als Judenlager bis Sommer 1942. Die meisten Arbeitskräfte wurden dann in das Ghetto von Riga gebracht, das am 2. November 1943 aufgelöst wurde. Ungefähr 20.000 Juden sind nach Riga deportiert worden. Im Herbst 1944 waren nur noch 30 Juden vom Hamburger Transport am Leben. Diese wurden auf die Todesmärsche Richtung Deutschland geschickt. (10)

Auschwitz (Auschwitz-Birkenau)

Elmshorner Opfer:
Martin Bachrach, geb. 26.11.1899, nach Augenzeugenberichten in Auschwitz ermordet
Frieda Dieseldorff, geb. Sternberg, geb. am 16.1.1884 in Elmshorn, deportiert 11.7.1942
Franz Goldschmidt, geb. 7.3.1904 in Elmshorn, lebte in Hamburg, dep. Auschwitz, ermordet 12.7.1942
Moritz Meyers, geb. 20.1.1894 in Stadtlohn, wohnte in Elmshorn, dep. 11.7.1942
Georg Rosenberg, geb. 9.6.1886 in Elmshorn, dep. 12.2.1943
Elsa Stoppelmann, geb. Vogel, geb. 1.8.1877 in Bad Kreuznach, wohnte in Elmshorn , dep. n. Auschwitz mit Sohn
Hans-Daniel Stoppelmann, geb. 30.10.1912 in Elmshorn, dep. nach Auschwitz

Das Konzentrationslager Auschwitz lag in der Kleinstadt Oswiecim (dt. Auschwitz), circa 60 km von der polnischen Stadt Kraków (dt. Krakau) entfernt und bestand eigentlich aus 3 Hauptlagern und ungefähr 40 Außenlagern. Die drei Hauptlager waren:

1.   KZ Auschwitz I, das sogenannte Stammlager, ab Mai 1940, nach ersten Plänen als Durchgangslager, aber schon im Bau als KZ- und Arbeitslager eingerichtet. Der erste Häftlingstransport erreichte Auschwitz I am 20.5.1940. Bereits im März 1941 ordnete Himmler die Vergrößerung des Lagers an. Dies führte zu

2. KZ Auschwitz II – Birkenau, dem größten deutschen Vernichtungslager, drei Kilometer vom Stammlager entfernt und
3. KZ Auschwitz III-Monowitz im Ort Monowitz, zunächst unter der Bezeichnung BUNA-Lager, zeitweilig organisatorisch ein eigenständiges Arbeitslager für verschiedene Industrieansiedlungen, z.B. IG Farben.

Auschwitz-Birkenau wurde zu einem Symbol für den Holocaust. Es wurde zu einem Vernichtungslager mit insgesamt sechs Gaskammern und vier Krematorien. Unter unvorstellbar grausamen Bedingungen wurden hier die Hundertausenden von Menschen, die nicht gleich an der berüchtigten Rampe aussortiert (selektiert) und sofort nach der Ankunft in den Gaskammern durch Zyklon B (Blausäuregas) vergast worden waren, gefangen gehalten, gefoltert, durch Zwangsarbeit, Erfrieren, Verhungern, Erschöpfung, medizinische Versuche, Exekutionen und letztendlich doch durch Vergasen getötet.

Die meisten Opfer (nicht nur jüdische) kamen in Viehwaggons nach tagelangen Reisen in Auschwitz-Birkenau an. Meist fanden auf einer Verladerampe, circa 1 km vom Lagertor entfernt, die Selektion durch die Lagerärzte statt, nur durch bloßen Augenschein, nicht durch Untersuchungen. Die „schwachen" und nicht „Arbeitsfähigen" , Mütter mit Kindern, alte Menschen, Kranke wurden gleich nach der Ankunft zur Gaskammer geführt, die anderen kamen zunächst ins Lager und mussten in den an das Lager angrenzenden Industriebetrieben arbeiten, wofür die Firmen eine kleine „Miete" bezahlen mussten. Bei der Ankunft im Lager wurde den Opfern ihre Identität genommen, es wurde ihnen wie Vieh Nummern eintätowiert.

In Auschwitz-Birkenau vegetierten die Gefangenen in hölzernen oder gemauerten Baracken. Die Konzeption dieser Baracken basierte auf einem Plan für Pferdeställe. Bis zu 800 Menschen waren in jeder Baracke eingepfercht, die für 52 Pferde gedacht war. Es gab nur wenige, dazu noch sehr primitive Toiletten und Waschgelegenheiten. Tag und Nacht bestand Lebensgefahr.

„"Arbeit" bedeutete unmenschliche Sklavenarbeit in Fabriken, Minen, auf dem Land oder auf Baustellen. Sogar die schwersten Erdarbeiten mussten ohne ausreichendes Werkzeug verrichtet werden. Die stets hungrigen Arbeiter mussten im Laufschritt Ziegelsteine schleppen oder schwere Loren schieben. Jeder Versuch, sich etwas auszuruhen, hatte die Versetzung in eine Strafkompanie zur Folge, evtl. auch die sofortige Erschießung. Angehörige dieser Strafkompanien hatten kaum eine Überlebungschance.

Am frühen Morgen und nach der Arbeit mussten sich die Gefangenen auf den diversen Appellplätzen versammeln. Die Appelle dauerten manchmal stundenlang. Viele hielten das Strammstehen in der Sommerhitze oder bei Frost nicht aus, kippten um und wurden deswegen ins Gas geschickt.
Die tägliche Mahlzeit bestand aus einem Becher wässriger Rüben- oder Kohlsuppe, 300g Brot und etwas Schmalz oder Margarine. Selten „bereicherte" ein 100g schweres Stück gepökeltes Schweinefleisch das Hungermahl. Als Folge der schweren Arbeit und der unzureichenden Versorgung mit Essen magerte man stark ab. Nach kurzer Zeit bestand der Körper nur noch aus Haut und Knochen ..." (11)

Am 27. Januar 1945 erreichten und befreiten sowjetische Truppen das Lager und konnten noch 7650 Menschen befreien. Da nur die in den Lagern aufgenommenen und nicht die schon an der Rampe und bei der Selektion im Lager direkt in die Gaskammern geschickten Opfer gezählt wurden, ist man auf Schätzungen angewiesenen. Nach neuerer Forschung wurden allein in Auschwitz circa 1.100.000 Menschen ermordet, davon etwa 1.000.000 Juden, 70-75000 nichtjüdische Polen, 21.000 Roma, 15.000 sowjetische Kriegsgefangene und circa 10-15.000 Menschen sonstiger Herkunft.

Neben den Opfern der hier aufgeführten Konzentrationslager gibt es noch weitere jüdische Opfer aus Elmshorn:

KL Fuhlsbüttel, später Gestapo-Gefängnis

Alfred Oppenheim, geb. 13.5.1897 in Elmshorn, 1942 verhaftet, gest. 6.4.1943

Willi Sternberg, geb. 25.4.1888 in Elmshorn, wohnte in Gelsenkirchen, dep. am 31.3.1942 ins Warschauer Ghetto, dort verstorben

Anmerkungen:

1) http://www.deathcamps.org/occupation/trawniki_de.html
2) Gottwaldt/Schulte, Judendeportationen, S. 137ff
3) http://www.bergenbelsen.niedersachsen.de/pdf/zurgeschichte.pdf
4) zit. n.: www.shoa.de
5) vgl.: http://de.wikipedia.org/wiki/KZ_Theresienstadt
6) vgl.: Mosel: Hamburg Deportation Transport to Minsk
7) Karl Löwenstein, Minsk im Lager der deutschen Juden. Löwenstein stammt aus Berlin und überlebte die Auflösung des Lagers und die Todesmärsche
8) zit. u. übersetzt nach: Wilhelm Mosel: Hamburg Deportation Transport to Minsk
9) zit. u. übersetzt nach: Wilhelm Mosel: Hamburg Deportation Transport to Riga.
10) Prof. Dr. Wolfgang Scheffler: Zur Geschichte der Deportation jüdischer Bürger nach Riga 1941/1942. Vortrag anlässlich der Veranstaltung des Volksbundes Deutsche Kriegsgräberfürsorge e. V. am 23. Mai 2000 zur Gründung des Riga-Komitees im Luise-Schröder-Saal des Berliner Rathauses
11) http://www.deathcamps.org/occupation/auschwitz_de.html

Name:	Gerhardt (Gerald) Adler
Geburtsdatum:	27.6.1925 in Elmshorn
Sterbedatum:	5.10.1992 Vineland, Cumberland, New Jersey, USA
Eltern:	Jakob Adler und Mary, geb. Stoppelmann
Ehegatte:	Hanna Miriam, geb. Fleischner
Kinder:	3; Joel A. Adler, 2 Töchter
Wohnort:	Elmshorn, Berlin, Vineland/New Jersey
Beruf:	kfm. Angestellter
Inhaftierung Pogrom 1938:	Nein
Deportationsdatum 1:	1943
Deportationsort 1:	Theresienstadt
Deportationsdatum 2:	1944
Deportationsort 2:	Wulkow, 1945 zurück nach Theresienstadt
Weiterer Verbleib:	befreit und über Deggendorf 1946 in die USA nach Vineland, Cumberland, New Jersey, USA
Stolperstein:	Nein

Gerhard Adler wurde am 27.6.1925 in Elmshorn als Sohn des Jakob Adler und seiner Frau Mary Stoppelmann geboren. (1) Als kleines Kind zogen er und seine Eltern nach Berlin, wo er noch einen Bruder, Henry (Hans) Joseph Gabriel Adler (1930 (Berlin) bis 2011 (New York)), bekam. (2)
Seine Familie war orthodox und gehörte der jüdischen Mittelschicht an. Sie waren Mitglieder in einer großen Gemeinde. Jakob Adler war nicht politisch aktiv, aber vermutlich Mitglied der B´nai B´rith Lodge. (3) Jakob diente als Soldat im I. Weltkrieg, war Offizier und wurde verwundet. Ihm wurde das Eiserne Kreuz I. Klasse verlieren. In Berlin arbeitete er als Angestellter in einer großen Firma für den An- und Verkauf von Kleidungsstücken. Drei Monate nach der Machtergreifung verlor Jakob seine Arbeit und schlug sich als Straßenhändler und Hausierer

für Zigaretten durch. Die Familie wurde in dieser Zeit von einem Onkel unterstützt. (4)

Gerhard besuchte bis 1933 eine öffentliche Schule, an der er die 1. und 2. Klasse absolvierte. Nach der Machtergreifung wechselte er auf eine jüdische Schule, die er bis 1938 besuchte. Auf der öffentlichen Schule hatte er einige nichtjüdische Freunde und kam zunächst nicht mit dem Antisemitismus in Berührung. Mit der Machtergreifung Hitlers änderte sich dieses und er wurde zu einem Aussätzigen. Erst jetzt wurde der Antisemitismus in der Familie ein Thema. Nach den Nürnberger Gesetzen 1935 kam auch eine mögliche Auswanderung ins Gespräch. Während die Mutter Mary für eine Auswanderung plädierte, scheute der Vater Jakob diesen Schritt. Er hatte Bedenken, alles zurück zu lassen und einen Neuanfang zu wagen, in einem fremden Land, in einer fremden Sprache.

Das Verhältnis zu den nichtjüdischen Bekannten begann sich auch unter den Jugendlichen zu ändern (5):

„The Hitler Youth became prevalent. I know when I came home from school I made sure that I walked on the side of the street where no kids were walking. And if I saw any kids in the distance I would cross over to the other side to avoid any problems. Although I never had any problems, but you looked over your shoulder and made sure that nobody followed you, and nobody was, and you didn't dare look at anything or anybody that you weren't supposed to, you know? Just not to start anything." (6)

1938 wurde die jüdische Schule geschlossen. Im Juli 1938 feierte Gerhard seine Bar Mitzwah. In der Nacht des Novemberpogroms vom 9. auf den 10. November 1938 wurde sein Vater verhaftet und, wie alle männlichen Juden über 18 Jahren, in ein Konzentrationslager gebracht. Jakob kam nach Sachsenhausen.

„We only knew where he was because it was known that Jewish prisoners from Berlin came there. And once in a while, somebody was released, and brought news. We had a friend of the family, an old man, who used to live in the town where I was born. And I don't remember anymore how much later after the Crystal Night that there was a knock on the door one evening. An old man stood there, and my mother opened the door. And he said, "Don't you know me, Mrs. Adler?" And my mother said, "No, I don't know you." And he says, "I am Mr.

Baum from [not clear]."(Anmerkung von Kirschninck: David Baum aus Elmshorn war der Kultusbeamte der jüdischen Gemeinde. Er wurde ebenfalls in Sachsenhausen inhaftiert und konnte nach seiner Entlassung auswandern) That's the town. And he was together with my father. He was released because his family secured an affidavit to America. He was released with the provision that he would leave Germany within 48 hours. And, he brought greetings from my father, but he was too scared to tell any details. And, during that time, it became known, I mean, it was leaked, let's put it this way, that any Jew that secures passage out of Germany would be released. So my mother ran around trying to get passage, and she finally managed to book passage to Trinidad, which at that time didn't have any immigration requirements. Nobody knew where Trinidad was. And, she sent proof of this to the police, secret police, the *Gestapo*. And on account of this, my father was released, I think sometime in January. But the whole thing fell through, because Trinidad stopped immigration of Jews. That was early in '39. And, luckily, he wasn't rearrested." (7)
In den Jahren 1938/39 arbeitete Jakob für das „Jewish Community Council of Berlin". Gerhard und sein Bruder besuchten zu dieser Zeit keine Schule.
Einige Wochen nach dem Kriegsausbruch im September 1939 arbeitete Gerhard in der „Hachsharah" (9) in der Nähe von Hamburg (8), vermutlich dem „Brüderhof" in Harksheide (Norderstedt) (10)

Nach zwei Jahren kehrten er und seine Familie Ende 1941 wieder nach Berlin zurück und Gerhard Adler arbeitete in einer Fabrik für fluoreszierende Lampen. Im Herbst 1942 wurden alle Juden in Berlin auf ihrer Arbeitsstelle verhaftet und zu Sammelplätzen gebracht. Aus einem für Gerhard unerfindlichen Grund wurde er wieder nach Hause geschickt, während die meisten in einen Transport nach Osten geschickt wurden. (11)

„I told you at the beginning, that my father was a decorated veteran. That saved us at that particular time from being sent what they called to the East, somewhere into Poland or Lithuania, to Riga. Instead, our whole family was sent to Theresienstadt. While waiting for the transport to Theresienstadt, I contracted diphtheria and was separated from the family and put into the Jewish hospital. But somehow or other, my father managed to elicit a promise from the authorities there that I would be sent on to Theresienstadt when I recuperated. And I was sent to Theresienstadt two months later." (12)

"Theresienstadt was an overcrowded town, surrounded by … a wall. It was a fortress, a former fortress. And wherever you looked, people were sometimes 20 to a room, in a small room. And houses were, every room in a house was, for instance converted into rooms, with bunk beds. … We would actually sleep one next to the other. There was no living space. If you had any belongings, they were shoved under the bed. We lived on wooden, it`s not even, I couldn`t even call it a bed, some contraption that was put together by the carpenters, and everybody had a large bag filled with straw as a mattress. And you brought your own blankets along. There were, I don´t know if we had sheets, or blanket co-vers. If you were lucky, you had a pillow. But sometimes people used their clothing for pillows, you know. … When I came to Theresienstadt it was infested by lice and fleas, something I had never known before in my life … But then in Theresienstadt hunger started, because we were rationed like everybody else. If you were lucky to be hart laborers, your ration was a little bigger. But if you just performed regular manual labor, and very often meals were cut out…." (13)

"We`d get up very early in the morning. First thing is try to clean out the fleas from your blankets and, If you had a chance, to wash yourself. Clean up. … If there was any food available, you would stay, in line, maybe for a cup of coffee and a slice of bread, if you had it, or just for a cup of coffee … You would work. If you worked in Theresienstadt proper, you would break for lunch… Sometimes you would get your warm meal during lunch time. Most of the times you wouldn´t. We could maybe get a cup of coffee, hot coffee. If you worked out-side of Theresienstadt, you went hungry, and your food was either reserved un-til you came back at night, or you just forewent the meal. Then you worked un-til late in the afternoon or evening. And before you even washed up, you stood in line for your dinner, if there was dinner that particular day. You went to your room and tried to clean up or straighten up. Now, a marvelous thing went on there. There was still a cultural life in Theresienstadt. There were a lot of artists, all kinds. We had a theater. We had an orchestra. We had poets that would read poetry, write and read poetry. We had other artists. We had people that would run lectures. There was a diversification. We could go places at night, try forget for an hour about your misery, and partake in some cultural program. A lot of people took advantage of that. But for the elderly it was a different ball game. Because of their unproductivity, they were the lowest when it comes to feeding. So most of them died off from hunger. And another phenomenon that I came across was that a lot of elderly people saved food, thinking that a later time their families would join them. And to save them from starvation, they would save their food and rather go hungry, and feed then the families. And you had very often people that just died of malnutrition there, the elderly. Sickness, all kinds of sicknesses that are connected with hunger. But there were the periodic transports out of Teresienstadt that everybody feared, you know? And that was always hanging like the sword of Damocles over your head. And then would the order come to get 5000, 6000, 10000 people together, and they would be transported somewhere to the east. Nobody knew where." (14)

„And I stayed in Theresienstadt until August of that same year, and I was sent with a small work party back into Germany to a small town called Wulkow, W-U-L-K-O-W. (15) And our job was to build a barracks town for higher-ups in the, probably in the Gestapo, as a refuge from the bombing attacks on Berlin. That project was never finished. It was still unfinished when the Russians came." (16)

„Außenkommando Wulkow (Kommando Zossen)
Am 2. März 1944 verläßt das sogenannte Kommando Zossen mit 200 männlichen Häftlingen das Ghetto, um in Wulkow südöstlich von Berlin ein Barackenlager für die SS zu bauen. Das Kommando wurde später auf 260 Mann erhöht. 45 Gefangene sollen im Herbst strafweise nach Sachsenhausen und dann auf die Kleine Festung gebracht worden sein (10 Überlebende). Am 2. Februar wurde das Lager Zossen evakuiert, es wurde Proviant für 3 Tage ausgegeben, die Rückfahrt über Berlin, Halle, Würzburg, Nürnberg und Prag dauerte jedoch acht Tage. Am 10. Februar 1945 kehrt das Kommando nach Theresienstadt zurück. (17)
W. Görner : „KZ-Ghetto Theresienstadt", Berlin 1948, berichtet in seinem Buch über die Außenarbeitsgruppe Wulkow. Er erwähnt 235 Arbeiter, einen gewissen Franz Stuschka (oder Stuczka) als Obersturmbannführer, eine Wachmannschaft von 10 SS-Leuten, deutsche Fachkräfte und Ingenieure. Görner wurde Lagerleiter, dann abgesetzt und von einem gewissen Raffaelsohn ersetzt, der Stuschka bei seinen Misshandlungen unterstützte, deswegen nach dem Krieg in der CSR zum Tode verurteilt und hingerichtet wurde. Die Verpflegung kam aus Theresienstadt, wurde von Stuschka jedoch immer reduziert, so daß die Arbeiter hungerten. Arbeitszeit im Sommer von 6 – 22 Uhr, im Winter von 7 Uhr bis zur Dunkelheit. Keine freien Tage. 25 Frauen kamen aus Theresienstadt, die sich ums Essen und die Wäsche kümmern sollten. Stuschka veranstaltete Zählappelle, die wie Orgien abliefen. Er ließ die Frauen sich in Pfützen setzen und den Schlamm

mit dem Gesäß in einer Pfütze hin und herschieben. Andere Frauen mußten in der Pfütze baden. Die Arbeitsgruppe erstellte im Wald 110 Bauwerke, Wohn-, Arbeits- und Küchenbaracken, Aktenbunker, Feuerlöschteiche und Garagen, eine Abwasserkanalisation, eine Brunnenanlage mit modernsten Pumpen. Dieses Lager war als Gestapoausweichquartier für Berlin vorgesehen und im Herbst 1944 teilweise bezogen.

Heinrich Müller, Chef des Amtes IV im Reichssicherheitshauptamt, beauftragte Eichmann damit, eine zweite Dienststelle der Gestapo zu errichten, sozusagen als Ausweichquartier. Müller schrieb einen Brief an Dr. Erwin Weinmann, den Befehlshaber des SD und der Sicherheitspolizei im Protektorat. Er ersuchte um die Ausleihe von 18-20 Baracken, die in Theresienstadt überzählig seien. Das Ausweichlager sollte in Wulkow, etwa 60 Km östlich von Berlin an der Bahnstrecke nach Küstrin gebaut werden. Es bekam den Tarnnamen Dachs. Der Adjutant Müllers, SS-Obersturmführer Albert Duchstein, wurde mit der Organisation des Baues betraut.

In Theresienstadt meldeten sich nach einer entsprechenden Ankündigung zu Beginn des Jahres 1944 nur wenige junge Männer für das Arbeitskommando, auch nicht, als die SS ankündigen ließ, dass den Angehörigen des Kommandos Transportschutz gewährt würde. Die Selbstverwaltung musste weitere Männer auf die Liste setzen. Die SS sollte sich an den Transportschutz halten. Wohl auch, weil Geiseln eher an Flucht hindern als Stacheldraht und Posten. Das Antreten fand im Rathaushof statt. Rahm war zu betrunken, um eine geordnete Rede halten zu können. Am 2. März 1944 wurden etwa 200 Männer mit Personenwagen von Bohušovice aus nach Wulkow transportiert. Auf mitgeführten Ladewagen waren die Barackenteile verladen worden. Der Zug wurde begleitet von SS-Hauptsturmführer Möhs und den SS-Scharführern Glaser und Hanke.

Der eigentliche Bauort befand sich in einem waldigen Gelände der Seelower Höhen. Hanke, der zeitweilig als Lagerkommandant fungierte, verhielt sich den Zeugenaussagen entsprechend anständig zu den Häftlingen, keine Brutalitäten, keine Quälereien. Dann wurde SS-Obersturmführer Stuschka aus Wien eingesetzt, der die Häftlinge brutal behandelte, prügelte und zur schärferen Bestrafung entweder nach Sachsenhausen oder in die Kleine Festung transportieren ließ, was für viele das Todesurteil bedeutete. Das Lager wurde später von volksdeutschen SS-Leuten bewacht. Im Jerusalemer Prozeß gegen Eichmann wurde ein Besuch Eichmanns in Wulkow erwähnt. ... Der letzte bekannte Personenstand des Wulkower Lagers beträgt 260 Personen. Nach Theresienstadt kehrten im Februar 1945 jedoch nur 215 Personen zurück (Verzeichnis der Rückkehrer der Jüdischen Selbstverwaltung vom 10. Februar 1945) Die fehlenden 45 Personen sind jene, die Obersturmführer Stuschka mit Sachsenhausen und der Kleinen Festung bestraft hatte..." (19)

Gerhard kehrte im Januar 1945 nach Theresienstadt zu seiner Familie zurück, wo er im April 1945 befreit wurde.

„Theresienstadt, I think it was in April of 1945, was taken over by the Swiss Red Cross. The Germans made a deal. And the Nazis disappeared, and the Swiss took over administration... And the Russians came the night from the 9th, from the 10th to the 11th of May, 1945. We were waiting and waiting for them, for days, because we knew they had taken Prague, and we saw some bombing attacks on some oft he surrounding towns that were bombed... Actually the end came when the Swiss took over. They came with an caravan of ten-wheelers, with food and medication and doctors..." (20)

Gerhard Adler blieb in Theresienstadt bis zum Juli 1945 und kehrte dann nach Deutschland in das DP-Camp (Anm. Displaced persons) Deggendorf zurück. Seine Familie hatte keinen Wunsch, nach Berlin zurückzukehren. Sie wollten Deutschland so schnell wie möglich verlassen. Sie hatten zu dieser Zeit schon Kontakt zu einem Onkel in den USA, der ihnen kleine Päckchen schickte. So konnten sie dann 1946 Deutschland verlassen und nach Amerika ziehen (21), wo sie am 21.5.1946 ankamen. (22)

Gerhard änderte in den USA seinen Vornamen in Gerald. Er heiratete Hannah Miriam Fleischner, geb. am 15.1.1928 in Teplice, North Bohemia, CSSR, als Tochter von Jan (John) Fleischner und Leisl (Lisbeth) Eisner und lebte in Vineland, New Jersey. (23) Hannah gelang mit ihren Eltern am 2.12.1938 die Flucht nach New York. (24) Das Paar bekam drei Kinder, einen Sohn und zwei Töchter. Gerald starb am 5.10.1992 in Vinegard, New Jersey. (25) Hannah verstarb am 31.7.2007 in Marlton, New Jersey. (26)

Ancestry.com. *Munich, Vienna and Barcelona Jewish Displaced Persons and Refugee Cards, 1943-1959 (JDC)* [database on-line]. Provo, UT, USA: Ancestry.com Operations Inc, 2008. Original data: *Munich, Vienna and Barcelona Jewish Displaced Persons and Refugee Cards*. New York: American Jewish Joint Distribution Committee Archives.

Anmerkungen:

1)
2)   ebenda
3)   B'nai B'rith (Hebräisch hcstued ‏בני ברית‎; „Söhne des Bundes"),
auch Bnai Brith oder im deutschsprachigen Raum bis zur Zeit des Nationalsozialismus Unabhängiger Orden Bne Briss (U.O.B.B.) oder Bnei
Briß genannt, ist eine jüdische Organisation. Sie wurde im Jahre 1843
in New York als geheime Loge von zwölf jüdischen Einwanderern aus
Deutschland gegründet und widmet sich laut Selbstdarstellung der
Förderung von Toleranz, Humanität und Wohlfahrt. Ein weiteres Ziel
von B'nai B'rith ist die Aufklärung über das Judentum und die Erzie-
hung innerhalb des Judentums. Zurzeit gibt es rund 500.000 organisierte Mitglieder in ungefähr 60 Staaten. Damit ist B'nai B'rith eine der
größten jüdischen internationalen Vereinigungen. Der erste Ableger in
Deutschland wurde 1882 in Berlin gegründet. Der Vereinssitz befand
sich in der Kleiststraße 10 in Berlin-Schöneberg. 1924 wurde der Rab-
biner Leo Baeck zum Großpräsidenten des deutschen Distrikts gewählt, der damals mehr als hundert Einzellogen umfasste. Seine Präsi-
dentschaft dauerte von 1925 bis 1937. Am 20. April 1938 mussten alle
Logen aufgelöst werden. Als Eigentümer des Gebäudes Kleiststraße 10
fungierte ab 1938 die Gestapo. Nach dem Zweiten Weltkrieg gründete
sich der Orden in der Bundesrepublik neu. Zit. Nach:
https://de.wikipedia.org/wiki/B%E2%80%99nai_B%E2%80%99rith
4)   Interview Gerald Adler, From the collection of the Gratz College Holocaust Oral History Archive, collections.ushmm.org
5)   ebenda
6)   ebenda, S. 4
7)   ebenda, S. 5f
8)   ebenda
9)   Als Hachschara (hebräisch ‏הכשרה‎ „Vorbereitung, Tauglichmachung")
wurde die systematische Vorbereitung von Juden auf
die Alija bezeichnet, d. h. für die Besiedlung Palästinas vor allem in
den 1920er und 1930er Jahren. Ideologische Grundlage für dieses
Programm war der Zionismus, getragen und propagiert wurde sie von

der jüdischen Jugendbewegung. Meist fanden Hachschara-Kurse auf landwirtschaftlichen Gütern statt. Eine Gruppe von Auswanderungs-willigen (קבוצה, *Kəvutza*) lernte dort gemeinsam, was für den Aufbau eines Gemeinwesens in Palästina notwendig erschien. Die häufig aus bürgerlichen Umgebungen stammenden jungen Menschen erwarben vor allem gärtnerische, land- und hauswirtschaftliche sowie hand-werkliche Fertigkeiten und lernten Iwrit, das moderne Hebräisch. In der weiteren Entwicklung der Hachschara galt zunehmend auch die Schaffung einer jüdischen Identität als wichtige Aufgabe. Dazu gehörte auch, die jüdischen Feste zu feiern, jüdische Geschichte und Literatur kennenzulernen. Leben und Arbeiten im Kollektiv sollten dabei die kul-turellen Grundlagen für die neue Existenz in Palästina schaffen. Im späteren Israel setzten sich die Hachschara-Gemeinschaften in den Kibbuzim fort. Seltener lernten auch einzelne Auswanderungswil-lige bei einem Landwirt oder Handwerker. Nach: https://de.wikipedia.org/wiki/Hachschara

10) http://www.schoah.org/schoah/bruederhof.htm
11) Interview Gerald Adler, From the collection of the Gratz College Holo-caust Oral History Archive, collections.ushmm.org
12) ebenda, S.9
13) ebenda, S.11
14) ebenda, S.12
15) Wulkow ist ein Ortsteil von Neuruppin im Landkreis Ostprignitz-Ruppin in Brandenburg und liegt neun Kilometer östlich der Kernstadt.
16) Interview Gerald Adler, From the collection of the Gratz College Holo-caust Oral History Archive, collections.ushmm.org
17) http://www.ghetto-theresienstadt.info/pages/a/aussenkommandos.htm#wulkow
18) ebenda
19) ebenda
20) Interview Gerald Adler, From the collection of the Gratz College Holo-caust Oral History Archive, collections.ushmm.org ,S. 20
21) ebenda, S. 21
22) ebenda
23) https://www.ancestry.com/family-tree/person/tree/105328208/person/260047319025/story und Ancestry.com. *USA, Sterbeindex der Sozialversicherung, 1935-2014*

[database on-line]. Provo, UT, USA: Ancestry.com Operations Inc, 2011. Ursprüngliche Daten: Social Security Administration. *Social Security Death Index, Master File*. Social Security Administration.

24) https://www.ancestry.com/family-tree/person/tree/105328208/person/260047319025/story

25) https://www.ancestry.com/family-tree/person/tree/105328208/person/260047319025/story

26) Number: *149-22-8081*; Issue State: *New Jersey*; Issue Date: *Before 1951*. Source Information: Ancestry.com. *U.S., Social Security Death Index, 1935-2014* [database on-line]. Provo, UT, USA: Ancestry.com Operations Inc, 2011.Original data: Social Security Administration. *Social Security Death Index, Master File*. Social Security Administration

Martin Bachrach

Name:	Martin Bachrach
Geburtsdatum:	26.11.1899 in Elmshorn
Sterbedatum:	17.5.1943 Auschwitz
Eltern:	Kultusbeamter Samuel Marcus Bachrach und Bertha, geb. Krotoszynska
Ehegatte:	
Kinder:	
Wohnort:	Elmshorn, Berlin, Rautenberg
Inhaftierung Pogrom 1938:	unbekannt
Deportationsdatum 1:	17.5.1943
Deportationsort 1:	Auschwitz
Deportationsdatum 2:	
Deportationsort 2:	
Weiterer Verbleib:	
Stolperstein:	

Die Daten um Martin Bachrach sind sehr widersprüchlich. So beschreibt die Seite www.tenhumburgreinhard.de Martin Bachrach mit dem Geburtsort Elmshorn (1), das Gedenkbuch der jüdischen Opfer in Berlin verweist auf den Geburtsort Thorn. (2)
Martin Bachrach wurde am 26.11.1899 als Sohn des Kultusbeamten Samuel Marcus Bachrach und seiner Frau Bertha, geb. Krotoszynska, in Elmshorn geboren. (3) Er wurde Kaufmann von Beruf und lebte in Berlin und Rautenberg. Hier wurde er am 17.5.1943 nach Auschwitz deportiert (4), wo er ermordet wurde. (5)

Anmerkungen

1) http://www.tenhumbergreinhard.de/19331945opfer/1933-1945-opfer-b/index.html
2) https://www.bundesarchiv.de/gedenkbuch/de1047354
3) Personendatei Kirschninck

4)   https://www.bundesarchiv.de/gedenkbuch/de1047354
5)   Ancestry.com. *Global, Find A Grave Index for Burials at Sea and other Se-lect Burial Locations, 1300s-Current* [database on-line]. Provo, UT, USA: Ancestry.com Operations, Inc., 2012.Original data: *Find A Grave*. Find A Grave. http://www.findagrave.com/cgi-bin/fg.cgi.

Minna Bachrach

Name:	Minna Bachrach
Geburtsdatum:	11.1.1863 in Nieszawa
Sterbedatum:	7.8.1942 in Theresienstadt
Eltern:	Kultusbeamter Samuel Marcus Bachrach und Bertha, geb. Krotoszynska
Ehegatte:	ledig
Kinder:	keine
Wohnort:	Elmshorn, Harburg, Hamburg
Deportationsdatum 1:	15.7.1942
Deportationsort 1:	Theresienstadt
Deportationsdatum 2:	
Deportationsort 2:	
Weiterer Verbleib:	
Stolperstein:	Nein

Auch bei Minna Bachrach ist die Biografie nicht eindeutig. Sie ist vermutlich die Schwester von Martin Bachrach. Ihre Eltern, der Elmshorner Kultusbeamte Sa-muel Marcus Bachrach und seine aus Nieszawa stammende Ehefrau Bertha Krotoszynska bekamen acht Kinder: Isidor (1860), Minna (1863), Rebecca (1865), Ludwig (1867), Flora (1873), Siegfried-Gustav (1886), Samuel (1899) und Martin (1899). (1)

Minna Bachrach wurde am 11.1.1863 in Nieszawa geboren. Vermutlich wohnte sie bis zu ihrem Umzug nach Harburg in Elmshorn. Sie blieb ledig. Später zog sie nach Hamburg-Harburg in die Rathausstrasse 27 (heute 20) (2) und im Alter nach Hamburg in das Altersheim der jüdischen Gemeinde in der Schäfer-kampsallee 29. (3) Sie übte keinen Beruf aus und war ledig. Minna wurde am 15.7.1942 von Hamburg aus zusammen mit 925 zumeist älteren Juden aus Hamburg und Norddeutschland nach Theresienstadt (Gebäude L 420) depor-tiert. und verstarb dort mit 79 Jahren am 7.8.1942 angeblich an Marasmus se-nius (richtiger senilis), an Altersschwäche. (4) Für Minna wurde in der Rathaus-strasse 20 in Hamburg-Harburg ein Stolperstein verlegt. (5)

1)   Personendatei Kirschninck
2)   Klaus Möller: http://www.stolpersteine-ham-burg.de/index.php?&LANGUAGE=DE&MAIN_ID=7&p=8&BIO_ID=5077
3)   Totenschein für Minna Bachrach. Nach: National Archives, Prague; Terezín Initiative Institute,National Archives, Prague; Terezín Initiative Institute. Copyright holocaust.cz
4)   Ebenda
5)   Klaus Möller: http://www.stolpersteine-ham-burg.de/index.php?&LANGUAGE=DE&MAIN_ID=7&p=8&BIO_ID=5077

Ghetto Theresienstadt
Der Ältestenrat

51.

No. 2301

TODESFALLANZEIGE.

Sterbematrik

Name bei Frauen auch Mädchname	Spachnach	Vorname	Anna Sara	Tr.Nr.

Geboren am 11.1.1863 in Piszana (Polen) Bez.

Stand ledig Beruf ohne Relig. mos. Geschl.

Staatszugehörgkt. Deutsches Reich Heimatsgemeinde

Letzter Wohnort /Adresse/ Hamburg, Schäferkampsallee 29

Wohnhaft in Theresienstadt Gebäude No. L 420 Zimmer No.

Name des Vaters		Beruf		Letzt. Wohnort

Name der Mutter /Mädchn./				

Sterbetag 7.8.1942 Sterbestunde 16 15 Sterbeort: Theresienstadt

Genaue Ortsbezeichnung/Gebäude, Zimmer/ L 420.

	Name	Trp.Nr. bezw. Wohnort	Wohnadresse b. Gatten u. Kindern	Geb.Dat.
in Theresienstadt				
im Protektorat				

Tag der letzt. Eheschliessung | Ort der letzt. Eheschliessung | Zahl d.Kinder aus letzt.Ehe

Art des Personalausweises Kennkarte No. 50024 Ausgestellt von Hamburg

Behandelnder Arzt: Dr. Friedrich Klinger

Krankheit /in Blockschrift/ MARASMUS SENIUS ALTERSSCHWÄCHE

Todesursache /in Blockschrift/ " " "

Totenbeschau führte durch Dr. Leo Honigwachs Tag u.Stunde der Totenbeschau 7.8.1942 16 30 h

Ort der Beisetzung | Tag u.Stunde der Beisetzung

Theresienstadt, am 7. August 1942

Der Totenbeschauer:	Der Amtsarzt:	Der Chefarzt:

(c) holocaust.cz

Haeftlingsliste des Lagers Theresienstadt, Terezínská pametní kniha / Theresienstädter Gedenkbuch, Institut Theresienstädter Initiative, Band I–II: Melantrich, Praha 1995; Band III: Academia, Praha 2000.

Name:	Heinrich Basch
Geburtsdatum:	27.3.1900 in Wien
Sterbedatum:	1941 in Minsk
Eltern:	Adolf Basch und Helene Samuel
Ehegatte:	ledig
Kinder:	keine
Wohnort:	Elmshorn, Hamburg
Beruf:	Büroangestelllter, Kaufmann, Tischler
Inhaftierung Pogrom 1938:	unbekannt
Deportationsdatum 1:	8.11.1941
Deportationsort 1:	Minsk
Deportationsdatum 2:	
Deportationsort 2:	
Weiterer Verbleib:	

Heiko Morisse schrieb anlässlich der Stolpersteinverlegung für Heinrich Basch:

„Heinrich Basch wurde am 27. März 1900 als jüngster von fünf Söhnen des Agenten Adolf Basch und seiner Ehefrau Helene geborene Samuel in Wien geboren. Als er vier Jahre alt war, zog die Familie von Wien nach Hamburg. 1914 wurde Heinrich Basch aus der Schule entlassen. Nach der Lehre war er bei der Vereinsbank und in anderen Bankhäusern als Buchhalter und Korrespondent tätig. Seit dem 28. Oktober 1924 war er Büroangestellter beim Amtsgericht Hamburg.
Am 27. Juli 1933 kündigte die Landesjustizverwaltung sein Dienstverhältnis auf Grund des § 3 des Gesetzes zur Wiederherstellung des Berufsbeamtentums vom 7. April 1933 wegen seiner "nicht arischen Abstammung" zum 31. August. Auch sein zwei Jahre älterer Bruder Josef, der ebenfalls als Büroangestellter beim Amtsgericht Hamburg beschäftigt war, wurde von der Landesjustizverwaltung entlassen; er emigrierte im Juli 1936 nach Argentinien.

Was Heinrich Basch nach seiner Entlassung tat, ist nur in Umrissen bekannt. Im März 1936 zog er nach Elmshorn; in dem dortigen Meldeeintrag hat er als Beruf

Kaufmann und Tischler angegeben. Im Juli 1940 kehrte er wieder zurück nach Hamburg. Die Anonymität der Großstadt versprach mehr Schutz vor Anfeindungen; außerdem gab es hier noch ein jüdisches Gemeindeleben. Im Frühjahr 1941, als es in Elmshorn nur noch wenige Juden gab, wurde er von der "Reichsvereinigung der Juden in Deutschland" zum Vorstand der Jüdischen Kultusvereinigung Israelitische Gemeinde Elmshorn bestellt. Da ihm die Aufrechterhaltung der Vereinigung wegen der geringen Anzahl der Mitglieder zwecklos erschien, löste er sie Anfang April mit Genehmigung des Regierungspräsidenten in Schleswig auf. Zuletzt war Heinrich Basch Hausdiener im Jüdischen Wohnheim Hochallee 66.

Mit dem zweiten Hamburger Transport, für den er sich aus nicht bekannten Gründen "freiwillig zur Evakuierung gemeldet" hatte, wurde Heinrich Basch am 8. November 1941 nach Minsk deportiert. Von dort ist er nicht zurückgekommen." (1)

Vermutlich hat er sich freiwillig zum Transport gemeldet, weil mit diesem auch seine Mutter Jeanette und seine Schwester Hertha deportiert wurden. (2)

Laut Antrag auf eine Kennkarte lebte Heinrich Basch seit 28.3.1936 in Elmshorn bei Bornholdts in der Dietrich-Eckart-Strasse 15. Sein Aussehen wurde mit schlank, länglichrundem Gesicht, graue Augen und dunkelbraunem Haar beschrieben. (3) Am 3.7. 1940 zog er zurück nach Hamburg in den Nagelsweg 19. (4) Bis zu seinem Fortzug war er Vertreter der Jüdischen Gemeinde Elmshorn. Sein Nachfolger wurde Albert Hirsch. (5) Für Heinrich Basch wurde am Sievekingplatz 1 vor dem Ziviljustizgebäude und im Eppendorfer Weg 227 ein Stolperstein aufgestellt.

Antrag auf Ausstellung einer Kennkarte

1. Familienname: _Schröder_

   bei Ehefrauen geb. _____ born _____ nejh. _____

   bei Namensänderung – früherer Name: _____

   Sondername: _____

2. Vornamen: _Heinrich_

   (Rufname unterstreichen)

3. Geboren am: _24. März 1892_

   (Tag, Monat, Jahr ausschreiben)

4. Geburtsort: _Kiel_

   (zuständig im freien Regierungsbezirk und, wenn Ausland, Staat)

5. Wohnort: _Elmshorn_ (zit _____)

   (Kreis)

6. Wohnung: _Friedrich Eckerstr. 15 b Barmstedt_

   (Straße, Haus-nummer)

7. Familienstand: ledig — verheiratet — verwitwet — geschieden *)

8. Bei beendeter Ehe: Eheschließung mit _____ am _____

9. Jude: ja — nein *)

10. Staatsangehörigkeit *) Deutsches Reich: _Deutscher_

    Reisepaß _____ ausgestellt am _____ von _____

    Heimatschein _____ ausgestellt am _____ von _____

    Staatsangehörigkeitsausweis _____ ausgestellt am _8. Mai 19.._ von _____

    _____

Ich versichere, daß ich die vorstehenden Angaben nach bestem Wissen und Gewissen gemacht habe.

Als Beweismittel

(füge ich bei: Geburtsurkunde — Taufschein — Heimatschein — Staatsangehörigkeitsausweis — Musterschein eines deutschen Rentnoch — Urkundskarte *)

habe ich angelegt: Reisepaß — Wehrpaß — Anstellungsurkunde (bei Beamter) *)

_____ Lichtbilder sind angeschlossen.

Elmshorn den _22. ___ 194..

Heinrich Schröder

(Unterschrift — Vor- und Zuname)

*) Die durchstreichen der Geräumen.
*) Hier ist ein etwaiger schriftsteller, Theater, Künstler und Art Berufung (sofern bei katholischen hoheitlichen) und _____
*) _____
*) Bei mehrfacher Staatsangehörigkeit für sämtliche Staatsangehörigkeiten angeben.
*) Stellt der gesetzliche Vertreter des Kennkarteninhabers den Antrag, so _____

Antrag auf Ausstellung einer Kennkarte. Stadtarchiv Elmshorn.

41

HIER WOHNTE
HEINRICH BASCH
JG. 1900
DEPORTIERT 1941
ERMORDET IN
MINSK

Foto: Stolperstein Heinrich Basch, Eppendorferweg 227 in Hamburg. Hinnerk 11. lizenziert unter der Creative-Commons-Lizenz

HIER ARBEITETE
HEINRICH BASCH
JG. 1900
DEPORTIERT 1941
ERMORDET IN
MINSK

Foto: Stolperstein Heinrich Basch. Sievekingplatz 1 in Hamburg. Hinnerk 11. lizenziert unter der Creative-Commons-Lizenz

Anmerkungen:

1)   http://www.stolpersteine-ham-burg.de/?&MAIN_ID=7&r_name=Basch&r_strasse=&r_bezirk=&r_sttei l=&r_sort=Nachname_AUF&recherche=recherche&submitter=suchen &BIO_ID=3727. Quellen: Staatsarchiv Hamburg, 241-1 I Landesjustiz-verwaltung I, 2210; Staatsarchiv Hamburg, 213-1 Oberlandesgericht-Verwaltung, Abl. 3, 2008 E-1e/1/9; Staatsarchiv Hamburg, 522-1 Jüdi-sche Gemeinden, 992e 2 Band 2; Staatsarchiv Hamburg, 522-1 Jüdi-sche Gemeinden, Kultussteuerkartei; Harald Kirschninck, Die Ge-schichte der Juden in Elmshorn 1918-1945, Norderstedt 2005, S. 172-174; Hamburger jüdische Opfer des Nationalsozialismus, Gedenkbuch, Hamburg 1995, S. 20; Onlineversion des Gedenkbuchs des Bundesar-chivs – Opfer der Verfolgung der Juden unter der nationalsozialisti-schen Gewaltherrschaft in Deutschland 1933-1945; Staatsarchiv Ham-burg, 241-1 I Landesjustizverwaltung I, 2219 (zu Josef Basch); Staatsar-chiv Hamburg, 351-11 Amt für Wiedergutmachung, 21214 (zu Josef Basch)

2)   Gedenkbuch Bundesarchiv, a.a.O.

3)   Antrag auf Ausstellung einer Kennkarte, Stadtarchiv Elmshorn

4)   https://www.tracingthepast.org/index.php/en/minority-census/census-database/census-data-base?last_name=&first_name=&maiden_name=&place_of_birth=&bir th_year_for_search=&street=&cck=minority_census&city=Elmshorn& search=minority_census_search&task=search&start=25

5)   Friedhofsakte 16.8.40

Hermann Blumenfeld

Name:	Hermann Blumenfeld
Geburtsdatum:	30.3.1872 in Elmshorn
Sterbedatum:	1942
Eltern:	Joseph Levy Blumenfeld und Catharina Goudsmidt
Ehegatte:	
Kinder:	
Beruf:	Kunstreiter, Artist
Wohnort:	Magdeburg, Berlin
Inhaftierung Pogrom 1938:	unbekannt
Deportationsdatum 1:	28.3.1942
Deportationsort 1:	Piaski/Lublin
Deportationsdatum 2:	
Deportationsort 2:	
Weiterer Verbleib:	
Stolperstein:	Ja, in Magdeburg

Hermann Blumenfeld wurde am 30.März 1872 in Elmshorn als Sohn des Kunstreiters Joseph Levy Blumenfeld (geb. am 10.9.1845 in Spich) und dessen Frau Catharina Goudsmidt (geb. am 7.1.1840 in s`Hertogenbosch) geboren. Familie Blumenfeld stammte aus der berühmten jüdischen Zirkusfamilie Blumenfeld, die seit 1811 in vielen Ländern Europas gastierte. Hermann wurde vermutlich während eines Gastspiels des Zirkus in Elmshorn geboren. Hermann hatte fünf Geschwister, von denen drei (Albert, Karl und Clara) wie er als Kunstreiter und Artisten im Zirkus arbeiteten. (1)

„Joseph Levy und Catharina Blumenfeld reisen am Anfang ihrer Artistenlaufbahn mit ihrer Familie wohl noch mit dem Circus des Großvaters Meyer Levy Blumenfeld, der unter dem Namen „Circus Blumenfeld und Söhne" (bzw. „und Sohn") auf Tournée geht, berichten Gisela und Dietmar Winkler in ihrem Buch „Die Blumenfelds". Bald aber machen sie sich selbständig. Sie sind mit ihrem Circus oft in Nord- und Mitteldeutschland. Das wird schon an den verschiedenen Geburtsorten der Kinder deutlich. Stationen ihrer Tournéen sind auch Chemnitz, Glauchau und Hamburg, Linz, Stuttgart und Mannheim. Sogar bis

nach Norwegen kommen sie im Jahr 1891 (Bergen). Dort geraten sie jedoch in wirtschaftliche Schwierigkeiten, die sie nur mit staatlicher Hilfe bewältigen können. Sie führen vor allem akrobatische Circuskunst vor, auch in Varietes, und finden immer wieder viel Beifall und Anerkennung, besonders die vier Kinder mit ihrer Vorführung „Die vier Musical Bauves". Mit dieser Darbietung werden sie auch 1922 in die Internationale Artistenloge aufgenommen …
Nicht genau bekannt ist, bis wann die Blumenfeld-Geschwister artistisch tätig sind. Mit dem Jahr 1933, Hermann Blumenfeld ist da schon 60 Jahre alt, wird ihnen als Mitgliedern einer jüdischen Circusfamilie auf Grund der Nazigesetzgebung jeder öffentliche Auftritt bald unmöglich gemacht. Gemeinsam leben die Geschwister in Berlin in einer Wohnung, Kottbusser Damm 64. …
Leider gelingt es keinem der Artisten-Geschwister, aus Deutschland zu fliehen. Alle vier werden am 28. März 1942 zusammen mit fast 1000 anderen Jüdinnen und Juden aus Berlin in das Ghetto Piaski im Kreis Lublin-Land deportiert. Sie kommen am 30. März in Piaski an, einem Ort, der einmal ein typisches osteuropäisches Schtetl war. Dort haben die deutschen Besatzer im September 1940 ein geschlossenes Ghetto eingerichtet. Durch die vielen Transporte ist es bald total überfüllt. Es herrschen Hunger und Krankheiten. Damit im Frühjahr 1942 Platz wird für die aus Deutschland und anderen Ländern kommenden Transporte, werden in kurzer Zeit 3000 Ghettobewohner im Vernichtungslager Belzec ermordet. Wer nicht an den Zuständen im Ghetto stirbt, kommt auch in der Folgezeit dort oder im Vernichtungslager Sobibor um. Die wenigen Überlebenden werden Anfang 1943 in das Arbeitslager Trawniki gesteckt. Keiner weiß, auf welche Weise die vier Blumenfelds sterben. In Piaski verliert sich ihre Spur. Dort, wo der größte Circus Blumenfeld einst sein Stammquartier – in Magdeburg – hatte und wo schon an 17 Mitglieder der Familie Blumenfeld erinnert wird, die von den Nationalsozialisten ermordet wurden, sollen Stolpersteine nun auch an sie erinnern helfen." (2)

Circus Adolph Blumenfeld
auf dem Obermarkte

Sonntag den 23ten März:

Zwei grosse Vorstellungen

in der höheren Reitkunst, Gymnastik und Pferdedressur.

Anfang der ersten um 4 Uhr Nachmittags, der zweiten um 8 Uhr Abends.

☞ Näheres besagen die Zettel.

☞ Gleichzeitig zeige ich einem hochgeehrten Publikum ergebenst an, daß ich während meines Aufenthaltes

Unterricht im Englisch - Sattel - Reiten

sowohl für Damen als Herren ertheile. Der Unterricht besteht in der höheren Reitkunst. Auch werden Pferde zum Zureiten angenommen und böswillige Pferde gebändigt. Anmeldungen wolle man gefl. bei'm Stallmeister Herrn Max Blumenfeld machen.

Abb. aus: *Nachrichten Worms 02.04.2013*

http://www.magdeburger-
chronist.de/md-
chronik/stolperst.html

Anmerkungen:

1) http://www.magdeburg-
   tourist.de/media/custom/37_18344_1.PDF?1447941631
2) Ebenda, vgl. auch Gedenkbuch Bundesarchiv, a.a.O. und
   Ancestry.com. *Global, Find A Grave-Index für Nicht-Bestattungen, Bestattungen zur See und andere ausgewählte Bestattungsorte, 1300er Jahre bis
   heute* [database on-line]. Provo, UT, USA: Ancestry.com Operations, Inc.,
   2012.

Otto Cohn

Name:	Otto Cohn
Geburtsdatum:	10.5.1898 in Elmshorn
Sterbedatum:	1941
Eltern:	unbekannt
Ehegatte:	unbekannt
Kinder:	Gerd (geb. 1926) und Vera (geb. 1928)
Wohnort:	Elmshorn, Hamburg
Beruf:	
Inhaftierung Pogrom 1938:	unbekannt
Deportationsdatum 1:	8.11.1941
Deportationsort 1:	Minsk
Deportationsdatum 2:	
Deportationsort 2:	
Weiterer Verbleib:	
Stolperstein:	Ja, in Hamburg

Von Otto Cohn gibt es nur wenige Fakten. Er wurde am 10. Mai 1898 in Elmshorn geboren (1) und lebte später in Hamburg. Er heiratete und bekam mit seiner Frau zwei Kinder: Gerd (geb. 16.8.1926 in Hamburg) und Vera (geb. 16.2.1928 in Hamburg). (2) Die Mutter verstarb sehr früh und da Otto die beiden Kinder vermutlich nicht allein versorgen konnte, kamen diese in das Waisenhaus „Paulinenstift" im Laufgraben 37 in Hamburg. (2) Hier lebten sie vermutlich als Halbwaisen und wohnten nebenbei bei ihrem Vater in der Goernestrasse 2 in Hamburg-Eppendorf. (3) In den Jahren 1941/42 wurden aus den beiden jüdischen Waisenhäusern in Hamburg am Papendamm 3 (heute: Martin-Luther-King Platz) und am Laufgraben 37 die letzten dort lebenden Kinder sowie deren Betreuerinnen und Betreuer in die Konzentrationslager Auschwitz, Lodz, Minsk, Jungfernhof bei Riga und Theresienstadt deportiert, einige der Kinder nicht einmal drei Jahre alt. Darüber hinaus gab es noch Halbwaisen, die nur tagsüber die Waisenhäuser besuchten und mit ihrer Mutter oder ihrem Vater den Weg in die Vernichtung gingen. (4)

Laufgraben 37. Paulinenstift. Foto: Privatbesitz Dr. Ursula Randt. Aus: http://www.ha ga-lil.com/archiv/ 2006/06/waise nhaeuser.htm

Zu diesen Kindern gehörten auch Gerd und Vera Cohn, die am 8. November 1941 mit ihrem Vater Otto Cohn in das Ghetto nach Minsk deportiert wurden. Hier wurden Otto und Vera vermutlich ermordet. (5) Gerd kam 1944 in das KZ Flossenbürg, wo er dann 1944 ermordet wurde. (6)

Foto: https://commons.wikimedia. org/wiki/File:Otto_Cohn_- _Goernestra%C3%9Fe_2_(Ha mburg- Eppen- dorf).Stolperstein.nnw.jpg NordNordWest, Lizenz: Creative Commons by-sa-3.0 de

Foto links: https://commons.wikimedia.org/wiki/File:Gerd_Cohn_-
_Goernestra%C3%9Fe_2_(Hamburg-Eppendorf).Stolperstein.nnw.jpg. NordNordWest,
Lizenz: Creative Commons by-sa-3.0 de
Foto rechts: https://commons.wikimedia.org/wiki/File:Vera_Cohn_-
_Goernestra%C3%9Fe_2_(Hamburg-Eppendorf).Stolperstein.nnw.jpg. NordNordWest,
Lizenz: Creative Commons by-sa-3.0 de

Anmerkungen:

1) Gedenkbuch Bundesarchiv, a.a.O.
2) Privatarchiv Kirschninck
3) https://commons.wikimedia.org/wiki/File:Gerd_Cohn_-
   _Goernestra%C3%9Fe_2_(Hamburg-Eppendorf).Stolperstein.nnw.jpg
4) http://www.hagalil.com/archiv/2006/06/waisenhaeuser.htm
5) Gedenkbuch Bundesarchiv, a.a.O., und: http://www.bahnhof-der-
   erinnerung-hamburg.de/Namensliste%20Hamburg.pdf, und:
   http://www.blankgenealogy.com/histories/Biographies/Jaffe/Paulinenstift
   %20courtesy%20Maajan%20-
   %20Die%20Quelle%2C%20no.%20109%2C%202013.pdf
6) Ebenda

Frieda Dieseldorff, geb. Sternberg

Name:	Frieda Dieseldorff, geb. Sternberg
Geburtsdatum:	16.1.1884 in Elmshorn
Sterbedatum:	1942
Eltern:	Adolf und Mary Sternberg
Ehegatte:	Dr. Arthur Daniel Dieseldorff
Kinder:	Werner (1919), Rudolf (1922)
Wohnort:	Elmshorn, Wiesbaden, Hamburg
Beruf:	Verkauf von Papier-, Lederwaren und Wäsche
Deportationsdatum 1:	11.7.1942
Deportationsort 1:	Auschwitz
Deportationsdatum 2:	
Deportationsort 2:	
Weiterer Verbleib:	
Stolperstein:	Nein

Frieda (Frida) Sternberg wurde als drittes Kind von Adolf und Mary Sternberg am 16.1.1884 in Elmshorn geboren. (1) Sie heiratete Anfang der 20iger Jahre den Hamburger Geologen und Paläontologen Dr. Arthur Daniel Dieseldorff, geb. 1866. (2) Teile der Familie Dieseldorff waren Kaffeebarone in Guatemala und Peru. Auch heute gibt es noch die Marke „Dieseldorff Coffee". Für Arthur war es die zweite Ehe und er brachte drei Kinder mit in die Ehe: Fritz-Arthur (1903), Hermann (1902) und Karl Otto (1906). (3) Arthur und seine Kinder waren evangelisch und sogenannte „Arier". Das Paar lebte in Wiesbaden. Mit Frieda Dieseldorff hatte Arthur noch zwei gemeinsame Kinder: Werner (geb. 1919) und Rudolf (Rudi) (geb. am 22.1.1922 in Wiesbaden. (4) 1928 starb Dr. Arthur Daniel Dieseldorff. (5) Frieda zog mit Rudolf nach Elmshorn, wo er die „Bismarckschule" von Ostern 1931 bis Ostern 1937 (UII) besuchte. (6) Er verließ sie mit der Schlußprüfung. In Elmshorn lebte Frieda mit Rudolf Dieseldorff zunächst in der Schulstrasse 49. (7)

51

Am 31.1.1930 erschien in den Elms-horner Nachrichten eine Anzeige von Frieda Dieseldorff. Sie warb mit ihrem Geschäft Ecke Schulstrasse/Flamweg für den „Verkauf von Papier-, Lederwa-ren und Wäsche". (8) Später ist sie nach Hamburg zu ihrer Mutter Mary Sternberg in die Rothenbaumchaussee 217 verzogen. (9) Frieda versuchte Ihrem Sohn Rudolf einen Job zu ver-schaffen oder ihn an einer Technischen Schule unterzubringen. Da sie aber Jüdin war, stieß sie überall auf Hemm-nisse.

Sie wandte sich daher an ihre christli-che „arische" Verwandtschaft in Peru und Deutschland mit der Bitte ihr zu helfen.

Bild: Dr. Arthur Daniel Dieseldorff. Nach: http://dieseldorff.com/stammbaum/. O. Autor. O. Ort. O. Jahr.

Ihr Schwager Erwin Paul Dieseldorff in Lima (Peru) besaß große Kaffeeplantagen in Peru. Dieser korrespondierte in dieser Angelegenheit mit Hans Quinckhardt und Hermann Dieseldorff, ihrem Stiefsohn. Beide waren Mitglieder der NSDAP und keiner der beiden wollte etwas mit Frieda zu tun haben. Hermann schrieb, dass er nicht wollte, dass seine Mitglieder (der NSDAP) erfahren, dass er eine jüdische Stiefmutter habe. Erwin Paul Dieseldorff unterstützte seine Schwäge-rin, seit sein Bruder (Arthur) 1928 starb, finanziell und er wies Hermann an, Frieda monatlich 100 RM zu schicken.

Rudi war es nicht möglich, in Deutschland eine Berufsausbildung zu absolvieren oder ein Geschäft zu eröffnen. Daher wanderte er im Juli oder August 1939 aus und kam nach Peru. Hier bat er Erwin Paul Dieseldorff, ihm mit Geld bei der Ge-schäftsgründung zu helfen. (10)

1954

Bild: Rudolf und Aida Dieseldorff. . Nach: http://dieseldorff.com/stammbaum/. O. Autor. O. Ort. O. Jahr.

Der letzte Brief von Frieda an ihre Verwandtschaft in Peru datierte vom 22.3.1940. Hierin bat sie um Hilfe bei der Flucht aus Deutschland nach Südamerika. (11) Vor dem Umzug nach Hamburg und nach Schließung ihres Geschäftes wohnte Frieda Dieseldorff bei dem letzten frei gewählten Vorsitzenden der jüdischen Gemeinde Elmshorn, Albert Hirsch. Ihm führte sie den Haushalt, nachdem seine Frau gestorben und sein Stiefsohn Horst Karlik und sein Sohn Heinz Hirsch nach Peru ausgewandert waren. Aus der Korrespondenz von Freunden Albert Hirschs erfahren wir noch einige Fakten zu Frieda Dieseldorff.

„... Frida ist seine rechte Hand und hat sie dadurch große Vergünstigungen, dass sie einen Mischsohn hatte und 1 arischen Sohn, bekommt eine Kleiderkarte, mehr Lebensmittel auf Karten, braucht auch den Judenstern nicht zu tragen und kann in jedes Geschäft gehen und kommt es Albert zu Gute." (12)

Bild Rudolf und Aida Dieseldorff. 1958. .
Nach: http://dieseldorff.com/stammbaum/.
O. Autor. O. Ort. O. Jahr.

Frieda Dieseldorff hat es nicht mehr geschafft, aus Deutschland herauszukommen. Sie wurde am 11. Juli 1942 von Hamburg/Bielefeld – Berlin nach Auschwitz in das dortige Vernichtungslager deportiert und ermordet. (13)

Rudolf Dieseldorff wurde Ingenieur und heiratete in Lima seine Frau Aida. Er baute 1958 die erste Christlich-Evangelische Kirche in Lima und war jahrelang Vorsitzender der Exporteure in Peru. (14)

Bild: Die erste größere Christlich Evangelische Kirche in Lima, gebaut 1958 von Ing. Rudolf Dieseldorff und Architekt Oscar Arrisueño, mit der Mitwirkung eines guten holländischen Freundes. Aus: http://dieseldorff.com/stammbaum/.O.A., O.O., O.J.

„ On one of his trip to Lima, Peru, Rudolph Dieseldorff, the half brother of Hermann, was told by family members not to return to Germany and stay in Lima because it would not be safe In Germany anymore. His mother and her sister did not survive the Holocaust and died in the concentration camps."

Rudolph remained in Peru ever since and built a flourishing farm and plant for nuts which provided also oil. He married a wonderful Peruan lady with whom he is still happily married since over 40 years. " (15)

Familie Dieseldorff scheint Frieda ausgeblendet zu haben. In ihrem Stammbaum erscheinen zwar die Namen ihrer Kinder und der Name der ersten Ehefrau von Arthur. Der Name Frieda Dieseldorff aber fehlt. (16)

1)	Personendatei Kirschninck
2)	Ebenda
3)	http://dieseldorff.com/stammbaum
4)	Ebenda

5)   Ebenda

6)   Archiv Bismarckschule Elmshorn, a.a.O.

7)   Personendatei Kirschninck

8)   Elmshorner Nachrichten vom 31.1.1930

9)   Personendatei Kirschninck,

10)   http://lal.tulane.edu/sites/default/files/lal/docs/Collection%20212%20Guide.pdf

11)   Ebenda

12)   Brief Siegfried Knobloch an Paula Baum, 15.12.1941, in: Baum-Collection, Leo Baeck Institute

13)   Memorbuch z. Gedenken an die jüdischen, in der Schoa umgekommenen SH und SHinnen, a.a.O. und: Gedenkbuch Bundesarchiv

14)   http://dieseldorff.com/stammbaum

15)   http://salsagente.com/dieseldorff/

16)   http://dieseldorff.com/stammbaum

Franz Goldschmidt

Name:	Franz Goldschmidt
Geburtsdatum:	7. 3. 1904 in Elmshorn
Sterbedatum:	12.7.1942 Auschwitz
Eltern:	Julius Goldschmidt und Rosa Oppenheim
Ehegatte:	Reine, geb. ?
Kinder:	Leah
Wohnort:	Elmshorn, Hamburg, Tschechoslowakei
Beruf:	Vertreter
Inhaftierung Pogrom 1938:	unbekannt
Deportationsdatum 1:	1942
Deportationsort 1:	Auschwitz
Deportationsdatum 2:	
Deportationsort 2:	
Weiterer Verbleib:	
Stolperstein:	Nein

Franz Goldschmidt wurde am 7. März 1904 in Elmshorn als Sohn von Julius Goldschmidt (geb. 22.7.1866 in Salzgitter) und Rosa Oppenheim (geb. 14.12.1866 in Elmshorn) geboren. Julius und Rosa haben am 29.10.1893 in Elmshorn geheiratet und bekamen zusammen sieben Kinder. (1) Franz wurde von Beruf Vertreter und zog 1932 von Elmshorn nach Hamburg (2) und heiratete Reine. (3) Franz emigrierte später in die Tschechoslowakei. Von dort wurde er 1942 nach Auschwitz zusammen mit Frau Reine und Tochter Leah deportiert. Franz wurde am 12.7.1942 in Auschwitz ermordet. (4) Auch seine Frau Reine wurde in Polen ermordet. (5)

Anmerkungen:

1) Privatarchiv Kirschninck, http://beck.org.il/humogen/family/humo_/F119/I357/
2) Auskunft Christian Rostock
3) http://beck.org.il/humogen/family/humo_/F119/I357/
4) https://www.bundesarchiv.de/gedenkbuch/de999443
5) http://beck.org.il/humogen/family/humo_/F119/I357/

57

Rosa Goldschmidt, geb. Oppenheim

Name:	Rosa Goldschmidt, geb. Oppenheim
Geburtsdatum:	14.12.1868 in Elmshorn
Sterbedatum:	17.12.1942 in Theresienstadt
Eltern:	Selig Nathan Oppenheim und Rieke Hirsch
Ehegatte:	Julius Goldschmidt
Kinder:	Egon (1894), Kurt (1896), Helene (1897), Hertha (1899), Fritz (1900), Hans (1902) und Franz (1904)
Wohnort:	Elmshorn, Hamburg
Beruf:	
Deportationsdatum 1:	15.7.1942
Deportationsort 1:	Theresienstadt
Deportationsdatum 2:	
Deportationsort 2:	
Weiterer Verbleib:	
Stolperstein:	Ja, in Hamburg

Rosa Goldschmidt wurde als Rosa Oppenheim, Tochter von Selig Nathan Oppenheim und Rieke Hirsch, am 14.12.1868 in Elmshorn geboren. Sie heiratete am 29. Okt. 1893 in Elmshorn Julius Goldschmidt und das Paar bekam sieben Kinder: Egon Goldschmidt (30.9.1894 Elmshorn – 28.8.1960 San Francisco), Kurt Goldschmidt (28.4.1896 Elmshorn – 17. Okt. 1918 in Frankreich), Helene Goldschmidt (21.7.1897 Elmshorn – 20.11.1940 Leicester), Hertha Goldschmidt (11.1.1899 Elmshorn – 25.7.1989 Hamburg), Fritz Goldschmidt (5.4.1900 Elmshorn – 18.5.1974 New York), Hans Goldschmidt (1.12.1902 Elmshorn – 25.5.1943 in Prag) und Franz Goldschmidt (7.3.1904 Elmshorn - 12.7.1942 Auschwitz). (2)

Das Schicksal von Julius Goldschmidt ist unbekannt. Er verschwand nach der Geburt des siebten Kindes. Rosa zog am 11.4.1932 nach Hamburg in die Uferstr. 17. (3) Am 15.7.1942 wurde Rosa von Hamburg aus in das KZ Theresienstadt deportiert und verstarb dort am 17.12.1942. Für sie wurde ein Gedenkstein in Hamburg in der Uferstraße 17 gelegt. (4)

https://commons.wikimedia.org/wiki/File:Rosa_Goldschmidt_-_Uferstra%C3%9Fe_17_(Hamburg-Barmbek-S%C3%BCd).Stolperstein.nnw.jpg

Anmerkungen:

1) Privatarchiv Kirschninck
2) http://beck.org.il/humogen/family/humo_/F119/I357/
   Sterbedaten von Hans und Franz sind verkehrt. Siehe auch: Ancestry.com.
   Czechoslovakia, Selected Jewish Holocaust Records, 1938-1945 (USHMM) [database on-line]. Provo, UT, USA: Ancestry.com Operations, Inc., 2016.
3) Privatarchiv Kirschninck
4) https://www.bundesarchiv.de/gedenkbuch/de876688

Name:	Max Hasenberg
Geburtsdatum:	26.1.1896 in Elmshorn
Sterbedatum:	in den 60ern
Eltern:	Julius Hasenberg und Henny Lippstadt
Ehegatte:	Lola Weiner
Kinder:	
Wohnort:	Elmshorn, Hamburg
Beruf:	Handlungsgehilfe
Inhaftierung Pogrom 1938:	unbekannt
Deportationsdatum 1:	15.7.1942
Deportationsort 1:	Theresienstadt
Deportationsdatum 2:	
Deportationsort 2:	
Weiterer Verbleib:	befreit, 1945 zurück nach Hamburg
Stolperstein:	Nein

Max Hasenberg wurde als sechstes Kind von Julius Hasenberg und Henny Lippstadt am 26.1.1896 in Elmshorn geboren. Er besuchte von 1907 (VI) bis 1910 (IV) die „Bismarckschule". (1) Er war Handlungsgehilfe von Beruf (2) und nahm wie seine Brüder am 1. Weltkrieg teil. Er wurde am 29.9.1916 zunächst leicht, am 28.1.1918 dann schwer verwundet. (3) Max stand auf der Gedenktafel in der Synagoge. (4) In Hamburg heiratete er seine Frau Lola, geb. Weiner. (5) Max war nicht sehr gläubig, dennoch ist er der Hamburger jüdischen Gemeinde beigetreten. Sein Austrittsdatum war der 15.7.1942 (6), vermutlich wegen der Deportation. Max wurde in das KZ Theresienstadt deportiert. (7) Er überlebte das Lager und kehrte 1945 nach Hamburg zurück (8), wo er in den 60ern starb. (9)

Julius Hasenberg
und seine Söhne.
Foto: Privatbesitz
Irene Butter-
Hasenberg

Bild von Rudolf Oppenheim, Privatarchiv Harald Kirschninck

Anmerkungen:

1)   Archiv der Bismarckschule Elmshorn
2)   Personendatei Kirschninck
3)   Posner, a.a.O.
4)   S. Abb. Gedenktafel
5)   My heritage.com
6)   Blaue Kartei, Staatsarchiv HH (Steuerabgaben jüdische Gemeinde HH)
7)   Max Hasenberg ist weder bei Yad Vashem, noch im Gedenkbuch des Bundesarchivs oder in dem Gedenkbuch von Gilles-Carlebach, a.a.O. zu finden.
8)   Email Bert Hillebrand an Harald Kirschninck vom 28.5.2011
9)   Ebenda

John Hasenberg

Name:	John Hasenberg
Geburtsdatum:	2.10.1892 in Neumünster
Sterbedatum:	23.1.1945 in Laupheim
Eltern:	Julius Hasenberg und Henny Lippstadt
Ehegatte:	Gertrud Mayer
Kinder:	Werner (1928) und Irene (1930)
Wohnort:	Neumünster, Elmshorn, Hamburg, Berlin, Amsterdam
Beruf:	Bankkaufmann
Inhaftierung Pogrom 1938:	Nein
Deportationsdatum 1:	23. Juni 1943
Deportationsort 1:	Westerbork
Deportationsdatum 2:	16.2.1944
Deportationsort 2:	Bergen-Belsen
Weiterer Verbleib:	
Stolperstein:	Ja, Elmshorn und Hamburg

John Hasenberg war das zweite von neun Kindern von Julius Hasenberg und Henny Lippstadt. Er wurde am 2. Oktober 1892 in Neumünster geboren. Mit seinen Eltern zog er 1895 nach Elmshorn und besuchte hier von 1902 bis 1909 die „Bismarckschule" und schloss diese mit dem Abschluss des Realgymnasiums ab. (1)

John nahm am 1.Weltkrieg bei der Feldartillerie teil, wurde schwer verwundet (kriegsversehrt) und erhielt 1917 das „Eiserne Kreuz II. Klasse" verliehen. (2) Sein Name stand auf der Gedenktafel in der Synagoge. (3) John gehörte dem Reformjudaismus an. Er führte keinen koscheren Haushalt, feierte aber alle jüdischen Feste. (4)

Die Eltern John und Gertrude Hasenberg,
1926 oder 1927 bei einem Spaziergang in Cannes. Privatarchiv Butter-Hasenberg

John Hasenberg, Privatarchiv Irene Butter-Hasenberg

Werner und Irene Hasenberg im Alter von ca. 3 und ca. 1 Jahr. Privatarchiv Irene Butter-Hasenberg

Im Jahre 1922 zog er nach Hamburg, wo er als Kaufmann in der Bank von Willi Seligmann am Gänsemarkt 35 arbeitete und zuerst in der Hammer Straße 27, dann am Schwanenwik 29 wohnte. Am 8.1.1922 tritt er der jüdischen Gemeinde in Hamburg bei, scheidet wegen Umzugs nach Berlin 1927 wieder aus. (5) Hier heiratete er Gertrud (geb. Mayer), geboren am 28. Oktober 1903 in Berlin, und bekam zwei Kinder mit ihr. Sein Sohn Werner wurde 1928 geboren und seine Tochter Irene kam 1930 zur Welt. (6)

„Julius Mayer war bis zu seiner Enteignung durch die Nazibehörden Besitzer der Berliner Julmay Bank. Auch sein Schwiegersohn John Hasenberg war dort beschäftigt. Die ganze Familie wohnte mit drei Generationen in einer großen (also ebenfalls noch nicht geteilten) Wohnung. Die Kinder hatten ein besonders enges Verhältnis zu ihren liebevollen und warmherzigen Großeltern, von denen sie sich trennen mussten, als es John Hasenberg und seiner Frau 1937 gelang, mit den Kindern nach Amsterdam auszuwandern…"(7)

„Zwei Jahre nach der Proklamation der „Nürnberger Rassengesetze" bekam John Hasenberg die Möglichkeit, Deutschland zu verlassen. Die Firma „American Express" hatte ihm zwei Alternativen geboten: einen Job in Curacao oder in Amsterdam. Mit seiner Frau, seinem neunjährigen Sohn und seiner siebenjährigen Tochter zog John Hasenberg im Jahr 1937 von Berlin nach Amsterdam, um der Verfolgung durch die Nationalsozialisten zu entgehen. Als die Nazis im Jahr 1940 in die Niederlande einmarschierten, wurde auch hier das Leben der Familie erheblich erschwert. Die Benutzung der Straßenbahn war der banale Grund für die erste Inhaftierung der kompletten Familie Hasenberg, aber vorerst hatte sie Glück. Ohne Begründung wurde die Familie wieder freigelassen. Was blieb, war die Angst. Weil es „American Express" verboten wurde, Juden zu beschäftigen, verlor John seine Arbeit und arbeitete nun für den "Joodsraad"(Judenrat), eine von den Nazis eingerichtete Organisation. Seine Aufgabe war es, den durch plötzliche Razzien deportierten Juden ihr Gepäck in die Sammellager nachzuschicken. John hatte die Erlaubnis, mit einem Team in die Wohnungen der deportierten Juden einzudringen und die benötigten Gepäckstücke zu beschaffen. Irene Hasenberg sagte in einem Interview im Jahr 1986, dass ihr Vater gehofft hatte, mit der Mitarbeit beim "Joodsraad" anderen Juden zu helfen. Wie so oft zögerte die Mitarbeit im „Joodsraad" die Deportation nur hinaus, anstatt sie zu verhindern. Am 23. Juni 1943 kreiste die SS auch das Wohnviertel der Hasenbergs ein. Irene Hasenberg erinnerte sich, dass es ungefähr um 10 Uhr morgens an einem ungewöhnlich heißen Tag gewesen sein muss, als die SS auch an ihre Tür klopfte. Der Familie Hasenberg war es noch erlaubt, ein wenig Proviant und anderes Gepäck mitzunehmen, dann wurde sie mit anderen Juden zu Sammelplätzen getrieben und in Güterwaggons gepfercht. Die Erfahrung, mit zirka 60 anderen Menschen den ganzen Tag in einem Güterwaggon gefangen zu sein, beschreibt Irene Hasenberg als grausam. Am 23. Juni 1943 erreichte der Zug dann seine Endstation, das Sammellager Westerbork, wo die Familie acht Monate verbringen musste.

Noch in Amsterdam hatte John über einen Freund von einem Schweden erfahren, der gefälschte Pässe beschaffen konnte. Auf Johns briefliche Anfrage erhielt die Familie Hasenberg nun aus Schweden vier ecuadorianische Pässe. Wie diese Pässe ihren Weg von Schweden über Amsterdam bis nach Westerbork gefunden haben, konnte niemand erklären. Fest stand aber, dass die Pässe den Status der Familie Hasenberg entscheidend veränderten.
War ursprünglich die Deportation der Hasenbergs nach Auschwitz vorgesehen, so bewirkte der Nachweis einer nichtdeutschen Staatsbürgerschaft die Streichung der Familie von der Transportliste. Am 16. Februar 1944 erfolgte die Deportation in das Konzentrationslager Bergen-Belsen, wo Irene Hasenberg auch Anne Frank kennenlernte.

Die Situation in Bergen-Belsen war wegen der Größe des Camps und der Menge an Menschen, die auf noch kleinerem Raum zusammengepfercht waren, schlimmer als in Westerbork. Mangelernährung, harte Arbeit und, im Falle von John Hasenberg, Prügelstrafen, schwächten besonders Hasenberg und seine Frau. Doch trotzdem erlangte die Familie Hasenberg aufgrund eines glücklichen Zufalls schließlich die Freiheit. Bei einem Gefangenenaustausch zwischen Amerikanern und Deutschen waren auf deutscher Seite nicht genügend Amerikaner für den Austausch vorhanden.
Deswegen wählten die Nazis Häftlinge nichtdeutscher Nationalitäten aus, um die geforderte Anzahl zu erreichen. Wegen ihrer gefälschten Pässe gehörten die Hasenbergs zu den glücklichen Auserwählten, die den Zug Richtung Schweiz besteigen durften. Trotz des unglaublichen Glücks war es für John Hasenberg schon zu spät. Seine letzte Prügelstrafe hatte ihm bei seiner sowieso schlechten körperlichen Verfassung die letzten Kräfte geraubt. Er starb auf dem Weg in die Freiheit am 23. Januar 1945 bei Laubheim. Seine Familie zog weiter nach Amerika." (8)

Die Tochter von John, Irene Butter-Hasenberg erzählte über die Auswanderung, die Deportation und den Tod ihres Vaters (9):

„Während des Ersten Weltkrieges war mein Vater Soldat in der deutschen Armee und erhielt das Eiserne Kreuz. Meine Eltern und Großeltern sahen sich in erster Linie als deutsche Staatsbürger. Ihre jüdische Identität war zweitrangig. Mein Großvater besaß eine Bank in Berlin, mit meinem Vater als Partner. Ich habe einen Bruder, und er ist zwei Jahre älter als ich. Wir lebten zusammen mit meinen Großeltern in einer großen Wohnung in einer sehr schönen Gegend in Berlin. Gewöhnlich feierten wir die jüdischen Feiertage mit einer Reihe von Verwandten, welche auch in Berlin wohnten. Die Erinnerungen an meine Kindheit waren sehr positiv und unbeschwert. In den frühen 1930er Jahren, als der Nationalsozialismus an die Macht kam und sich die Bedingungen für die Juden in Deutschland änderten, brach eine neue Zeit an für uns. Mein Vater sah die Schmierereien an den Wänden unserer Schaufenster und beschloss, das Hitler-Regime zu verlassen. Er machte Pläne für uns, aus Deutschland zu entkommen. Im Jahre 1937 reiste mein Vater nach Holland, dort bekam er gleich eine Anstellung bei der „American Express Company" in Amsterdam. Es war geplant, dass wir ihm ein paar Monate darauf folgten. Mit großer Trauer haben wir uns von den Großeltern und anderen Verwandten und vielen Freunden verabschiedet. Am Ende des Jahres 1937 zogen meine Mutter, mein Bruder und ich zu meinem Vater nach Amsterdam. Die Jahre in Amsterdam von 1937-1940 waren relativ ruhig und friedlich, trotz eines Rückgangs in unserem Lebensstandard, wir durften nicht unser gesamtes Vermögen mitnehmen.
Mein Bruder und ich kamen in eine neue Schule, wir lernten die niederländische Sprache recht schnell. Es dauerte nicht lange und wir lernten auch die holländische Landschaft, Leute und die Kultur lieben. Ich habe meine Vorliebe für das niederländische mein ganzes Leben lang beibehalten. Was dann geschah, war völlig unerwartet – denn die Nazis überfielen Holland im Mai 1940. Der Kampf dauerte nur wenige Tage, wir wurden Zeugen der Bombardierung. Abstürzende Flugzeuge und marschierende Soldaten erschütterten die Fenster. Die rasche Umwandlung von Holland in ein von den Nazis besetztes Land. In den Jahren von 1940 bis 1943 erfuhren wir zahlreiche einschneidende Veränderungen, einschließlich der vielen Einschränkungen, die speziell für die jüdische Bevölkerung verhängt wurden. Wir wurden von den Kinos, Theatern, Parks, Restaurants, Schwimmbädern und allen Formen von öffentlichen Verkehrsmitteln ausge-

schlossen. Auch unsere Fahrräder mussten wir abgeben. Wir durften nicht mehr in die Häuser von Nicht-Juden ….

Jüdische Kinder wurden aus den öffentlichen Schulen vertrieben und mussten jüdische Schulen besuchen. Alle Juden wurden Ausgangssperren unterworfen. Schließlich mussten Juden den Judenstern auf ihrer Kleidung tragen, so dass sie leicht identifiziert werden konnten. Diese Einschränkungen, obwohl sie erhebliche Härten darstellten, und uns manchmal das Leben sehr schwer machten, waren im Vergleich zu den Deportationen mild. Zu Beginn erhielten Juden Mitteilungen, dass sie sich für den Transport zum Lager bereit zu halten haben. Viele jüdische Familien wurden aus ihren Häusern verschleppt oder auf den Straßen oder ihren Arbeitsplätzen verhaftet.

Die Abschiebung markiert einen Zeitraum von großer Angst, Trauer und Unsicherheit. Meine Familie war sehr verängstigt, da wir viele unserer Freunde, Nachbarn und Verwandten verschwinden sahen. Einige konnten sich verstecken, aber die meisten wurden deportiert und in deutsche Konzentrationslager verschleppt. Wir fühlten eine große Sorge für das Leben der Deportierten und die Unsicherheit stand über allem anderen. Wir hatten große Probleme, Nahrung für die nächste Mahlzeit zu kaufen. Unsere Straße kam im Juni 1943 dran. Die Nazis verschleppten unsere gesamte Nachbarschaft ins Lager, die stark mit Juden besiedelt war. Die Schergen gingen von Haus zu Haus, um nach jüdischen Einwohnern zu suchen. Als sie in unsere Wohnung kamen, hatten wir zehn Minuten Zeit, um unsere Sachen zu packen. Wir konnten nur das mitnehmen, was in unsere Rucksäcke passte. An einem sehr heißen Tag mussten wir zu dem großen Quartier marschieren, wo alle für den Abtransport bestimmten Juden versammelt waren. Nach einer langen Wartezeit in der prallen Sonne wurden wir auf einen Lastwagen verladen, der uns zum Bahnhof transportierte. Hier stand ein langer Zug mit Viehwaggons. Jeder Viehwaggon wurde mit mindestens vierzig bis sechzig Personen beladen. Wir waren, ohne Wasser oder frische Luft, für die nächsten acht bis zehn Stunden eingesperrt. Wir kamen spät nachts im Lager Westerbork, einem deutschen Konzentrationslager im östlichen Teil der Niederlande, an. (10)

John und Irene Hasen-
berg, um 1935. Die
jüdische Familie Ha-
senberg aus Berlin
wurde 1944 in das
Austauschlager des KZ
Bergen-Belsen ge-
bracht. Privatbesitz
Irene Butter

Lageplan Konzent-
rationslager Wes-
terbork. Foto:
Wikipedia.

Für die nächsten acht Monate lebten meine Familie und ich im KZ Westerbork.
Das Lager lag auf beiden Seiten einer Eisenbahnlinie, umgeben von mehreren
Lagen Stacheldraht. Wir waren in Baracken untergebracht. Es standen dreistufi-
ge Etagenbetten mit Strohsäcken zur Verfügung. Der einzige Extraplatz für jede
Person war ein Drittel des Bodens unter dem Bett. Die Baracken waren überfüllt
und dreckig, wie auch die öffentlichen Waschräume und Nebengebäude. Das

Angebot an Essen war begrenzt. Gelegentlich erhielten wir Care-Pakete von Freunden oder Verwandten, die noch frei waren. Aufgrund der ständigen Entbehrungen und dem langen Anstehen für Nahrung kam es zu ständigen Auseinandersetzungen und Kämpfen zwischen den Lagerinsassen. Erwachsene wurden auf eine Vielzahl von verschiedenen Arbeitsplätzen im Lager aufgeteilt.

Als Zwölfjährige wurde ich nicht zur Arbeit verpflichtet. Es gab auch keinen Unterricht. Ohne Bücher, Spielzeug, Spiele, Stifte und Papier oder auch jede Art von organisierten Aktivitäten, litten die meisten Kinder in meinem Alter auch an Langeweile. Aber schmerzhafter als Langeweile war die unerbittliche Angst vor der Abschiebung zu einem der Todeslager in Polen.

Das KZ-Westerbork war ein Durchgangslager. Jeden Samstag nachmittag ist ein langer leerer Zug mit Viehwaggons aus Polen eingetroffen. Der Zug erstreckte sich über die gesamte Länge des Lagers und blieb den Rest des Samstages, den ganzen Sonntag und Montag im Lager. Jeden Montag um Mitternacht gingen die Lichter auf dem gesamten Gelände an. Jeder war erschrocken als die Baracken-Führer die Namen derer vorlasen, die an diesem Abend nach Auschwitz oder anderen Vernichtungslagern in Polen geschickt wurden.
Wir hofften immer unsere Namen nicht zu hören. Wenn wir Glück hatten, nicht auf der Liste zu sein, besuchten wir die Freunde und Verwandten im Lager, um herauszufinden, wer in dieser Nacht in die Vernichtungslager geschickt wurde. Wir hatten immer den Rest der Nacht mit unseren Lieben verbracht, ihnen geholfen zu packen und mit ihnen einen herzzerreißenden Abschied erlebt. Jeder war in ständiger Angst, dass die Woche kommen würde, wenn wir gezwungen wären, in die Viehwagen zu steigen. Meine Familie wurde vor diesem Schicksal wie durch ein Wunder verschont.

Vor unserer Abschiebung traf mein Vater in Amsterdam einen Freund, der gerade ecuadorianische Pässe für sich und seine Frau erhalten hatte, mit Hilfe eines Bekannten aus Schweden. Meinem Vater wurde geraten, den Mann in Schweden zu schreiben und Passfotos von uns vier, sowie die Termine und Orte der Geburt zu übermitteln. Ein paar Monate später, nachdem wir bereits deportiert worden sind, wurden die ecuadorianische Pässe an unsere Heimat-Adresse in Amsterdam geschickt. Die Pässe wurden dann an das Lager nach Westerbork weitergeschickt. Obwohl die Deutschen sicherlich gewusst haben, dass unsere Pässe gefälschte Dokumente waren, schützten uns diese Papiere vor dem

Transport in ein Vernichtungslager. Erst viel später erfuhren wir, dass das deutsche Außenministerium einen Plan hatte, um den Austausch von Juden mit nord-und südamerikanischer Staatsbürgerschaft oder Pässen gegen deutsche internierte Staatsbürger in alliierten Ländern vorzubereiten. Diese Austauschpolitik der deutschen Regierung und die Ankunft unserer ecuadorianischen Pässe aus Schweden führten zu der nächsten Phase unserer Deportation.

Im Januar 1945, ca. 11 Monate nach unserer Ankunft in Bergen-Belsen (11), waren alle Insassen mit amerikanischen und südamerikanischen Pässen aufgefordert worden, sich beim Lagerarzt zu melden. Es wurde ein Bericht für die Aufnahme in ein Austauschprogramm erstellt. Meine beiden Eltern waren in einem sehr schlechten Gesundheitszustand. Wie und warum meine Familie zu den dreihundert Menschen gewählt wurden, die für deutsche Staatsbürger ausgetauscht werden sollten, bleibt ein Rätsel. Nur eine kleine Zahl von Häftlingen mit amerikanischen Pässen waren in den Austausch einbezogen, weshalb es für uns ein unglaubliches Glück war, uns in dieser Gruppe zu finden. Aber das ersehnte Glück, erwies sich nur als ein teilweiser Segen. Die Not und das Leiden im Konzentrationslager führte zum Tod meines Vaters. Er war während unserer zweiten Nacht der Abreise aus dem Lager verstorben. Er starb kurz bevor der Zug in Biberach gehalten hatte. Er war der erste von fünf oder sechs Todesfällen, die im Zug verstarben, bevor sie ihren endgültigen Bestimmungsort in der Schweiz erreichten. Der Zug hatte im der Biberacher Bahnhof einigen Stunden gehalten, es sollten vierzig Leute aus dem Lager Lindele, getauscht werden. Die Leiche meines Vater war auf einer Bank im Bahnhof links abgelegt worden ... Mein Vater wurde in Biberach auf dem evangelischen Friedhof begraben. Etwa ein Jahr später wurde sterblichen Überreste auf dem jüdischen Friedhof in Laupheim nach dem Ende des Krieges umgebettet...

Der Zustand meiner Mutter hatte sich verschlechtert, sie kam sofort nach der Ankunft in der Schweiz ins Krankenhaus in St. Gallen. Mein Bruder wurde auch stationär aufgenommen. Ich war ein vierzehn Jahre altes Mädchen, das gerade ihren Vater verloren hatte, und dessen Mutter in einem äußerst kritischen Zustand in ein Krankenhaus eingeliefert wurde, doch die Schweizer erlaubte mir nicht in der Schweiz bleiben.

Nr. 36   C

Biberach an der Riss., den 26. Januar 19 45

Der John Hasenberg

                                                    Jude

wohnhaft   in Bergen, Internierungslager

ist am 23. Januar 1945_____ um 8 Uhr 15 Minuten
ist während des Transportes zwischen Bergen und Biberach Riss verstorben.

Der Verstorbene war geboren am 8. Oktober 1882

in Neumünster (Holstein)

(Standesamt _____ Nr. _____)

Vater: unbekannt

Mutter: unbekannt

Der Verstorbene war - nicht - verheiratet

Eingetragen auf mündliche - schriftliche - Anzeige des Verwalters des
Internierungslagers Biberach an der Riss

D──── Anzeigende

Vorgelesen, genehmigt und ─ ─ ─ ─ ─ ─ ─ ─ unterschrieben.

Der Standesbeamte

Todesursache: Herzlähmung

Eheschließung de Verstorbenen am   in
(Standesamt   unbekannt   Nr.   )

Sterbeurkunde John Hasenberg, Privatbesitz Irene Butter-Hasenberg

72

Grabinschrift:

Hier ist begraben
Jehuda, Sohn des Jona Hakohen,
ein redlicher und geehrter Mann.
Er war leiderfahren und litt Qualen
und starb unter Qualen auf dem Weg
zur Heiligung des (göttlichen) Namens
durch das Reich des Bösen,
Deutschland, mögen ihre Namen ausge-
löscht werden.
Sei seine Seele eingebunden in das Bündel
des Lebens

oben: Grabstein John Hasenberg in Laupheim, Foto: Schick, Michael: Erinnerung
an den Zug, der in die Freiheit fuhr. Die
Geschichte und das Schicksal der Familie
Hasenberg. http://www.ggg-
lauphe-
im.de/Berichte%20von%20Mitgl/100%20
Hasen-
berg%20HP/100%20Hasenberg.html
oben: Übersetzung Steinheim Institut

Irene Butter 1945 als 15-
jährige,kurz nach ihrer Ankunft
in den USA. Privatarchiv Irene
Butter-Hasenberg

Die Deutschen hatten es nie geschafft, unsere Familie zu trennen, nicht in beiden Konzentrationslagern. Die Schweizer schafften es! Sie steckten mich in einen Zug nach Marseille, wo ich an Bord eines Schiffes nach Algerien gehen sollte. Ich war im UNRRA-(United Nations Relief and Rehabilitation Administration) Lager für Displaced Persons (12) in der Nähe der Stadt Phillipeville in Frankreich.(13) Ich kam nach Phillipeville Ende Januar 1945, rund vier Monate vor dem Ende des Krieges. Mindestens zwei Monate vergingen, ehe ich herausfand, dass meine Mutter noch lebte und dass sie sich erholt hatte. Ich kann nicht genug betonen, welche Erleichterung ich bei dieser Nachricht empfunden hatte. In dem UNRRA-Lager gab es nur ein anderes Kind, ein junger polnischer Junge, ohne Familie. Alle anderen Kinder lebten mit einem oder zwei überlebenden Eltern. Ich fühlte mich oft einsam und isoliert. In diesem Lager war das Essen reichlich und am Anfang haben wir uns vollgefressen egal, wie eintönig die Mahlzeiten waren, die angeboten wurden…
Es war eine Freude, nicht an Hunger zu leiden. Eine starke Bindung zwischen den jungen Leuten in meiner Altersgruppe entwickelte sich. Wir verbrachten die meiste Zeit zusammen, studierten Französisch und Englisch, lernten, schwammen im Meer, wanderten und nahmen Kontakt auf mit Verwandten auf der ganzen Welt.

Es vergingen eineinhalb Jahre, bevor ich meine Mutter und meinen Bruder in den Vereinigten Staaten wieder traf. Die Verwandten taten alles, um uns dabei zu helfen, nach Amerika auszuwandern. Ich war die erste, die im Dezember 1945 ankommen war. Ich lebte mit den Cousins meiner Mutter, die ich nie zuvor getroffen hatte. Sie begrüßten mich in ihrer Familie und waren wie Eltern für mich. Meine Mutter und mein Bruder folgten im Sommer 1946. Zuerst lebten wir in angemieteten Räumen im Wohnungsnot geplagten New York City. Im Jahr 1949 hatte schließlich von uns jeder eine eigene Wohnung. " (14)

Bei einem Vortrag 2014 vor 400 Schülern in Laupheim erzählte Irene Butter-Hasenberg die Geschichte von einer Begegnung mit Anne Frank in dem Lager Bergen-Belsen (15):

„Irgendwann mussten wir nach Bergen-Belsen", erinnert sich Irene Butter. „Es hieß, dass dort alles besser werden würde. Was aber natürlich nicht der Fall war." Für ihre Eltern und ihren Bruder waren es lange und schwere Arbeitstage, die bis zu zwölf Stunden dauerten. Immer auf der Hut vor möglichen Schlägen, die es oft gab. Zu essen bekamen die Menschen nur ein Minimum. Mal ein Stück Brot, mal etwas Wasser mit Kohl. „Das nannten sie Suppe", erzählt Irene Butter. Mit ihren zwölf Jahren musste die kleine Irene zwar nicht so schwer schuften wie die anderen, dennoch hatte sie ihre Aufgaben zu erfüllen. „Ich musste die Baracken sauber machen und auf Kinder aufpassen", erzählt sie. „Aber ich war auch für das Wäsche waschen verantwortlich. Und das ohne warmes Wasser und ohne Seife." Beim Trocknen musste sie neben der Leine sitzen. „Hätte man die Wäsche aus den Augen gelassen, wäre sie gestohlen worden."(16)

Irene Butter erinnert sich an ein Erlebnis mit Anne Frank, die von Auschwitz nach Bergen-Belsen kam: „Anne fragte mich und andere Mädchen, ob wir ihr Kleider besorgen und über den Stacheldraht werfen könnten, durch den wir getrennt waren. Wir haben welche besorgt und sind nachts zu ihr. Das alles musste in der Dunkelheit passieren, damit uns die Wärter nicht erwischen. Anne hatte ihre Brille aber nicht mehr. Sie hat nicht gesehen, wohin die Kleider gefallen sind. Eine andere Frau hat sie aufgesammelt und ist mit der Kleidung einfach weggelaufen."(17)

Für John Hasenberg wurden Stolpersteine in Elmshorn in der Kirchenstrasse 40 und in Hamburg an der Schwanenwyk 29 verlegt.

Stolperstein John Hasenberg. Kirchenstrasse 40. ©Harald Kirschninck

Martyrs' and Heroes' Remembrance Authority

A Page of Testimony

P.O.B. 3477
Jerusalem, Israel

THE MARTYRS' AND HEROES' REMEMBRANCE LAW, 5713—1953
determines in Article No. 2 that

The task of YAD VASHEM is to gather into the homeland material regarding all those members of the Jewish people who laid down their lives, who fought and rebelled against the Nazi enemy and his collaborators, and to perpetuate their memory and that of the communities, organizations, and institutions which were destroyed because they were Jewish.

1. Family name * · שם המשפחה *

Hasenberg

2. First Name (maiden name) · השם הפרטי (שם לפני הנישואין)

John

4. Place of birth (town, country) · מקום הלידה (עיר, ארץ)

Elmsora Germany

3. Date of birth · תאריך הלידה

Oct 8 1892

6. Name of mother · שם האם

Henry Hasenberg

5. Name of father · שם האב

Julius Hasenberg

7. Name of spouse (if a wife, add maiden name) · שם בן או בת הזוג (אם בת זוג נא להוסיף שם משפחתה לפני הנישואין)

Gertrude Mayer

8. Place of residence before the war · מקום המגורים לפני המלחמה

Berlin

9. Places of residence during the war · מקומות המגורים במלחמה

Amsterdam then Bergen Belsen concentration camp

10. Circumstances of death (place, date, etc.) · נסיבות המוות (זמן, מקום, וכו')

Starvation on train out of Bergen Belsen January 23 1945

I, the undersigned Gertrude Hasenberg · אני, החו"מ

residing at (full address) 139-06 Pershing Crescent Jamaica, New York 11435 · הגר/ה ב (כתובת מלאה)

relationship to deceased wife · קירבה (מצומחה או אחרת)

hereby declare that this testimony is correct to the best of my knowledge.

מצהיר/ה בזה כי עדות זו נכונה לפי מיטב ידיעותי.

Signature Gertrude Hasenberg · חתימה

Place and date 139-06 Pershing Crescent Jamaica New York 11435 · מקום ותאריך 10.24.77

"...ונתתי להם בביתי ובחומותי יד ושם...אשר לא יכרת":

"...even unto them will I give in mine house and within my walls a place and a name... that shall not be cut off."

Signature of Registrar

TO:
SURVIVORS OF NAZI CAMPS AND RESISTANCE FIGHTERS INC. · 2747 THROOP AVE. NEW YORK N.Y. 10469 BRONX

Oben: Gedenkblatt John Hasenberg, Yad Vashem

76

Unten: Stolpersteinverlegung vor Kirchenstrasse 40 in Elmshorn am 15.4.2008, Foto: Kirschninck

Anmerkungen:

1) Archiv Bismarckschule Elmshorn
2) Posner, a.a.O.
3) Vgl. S. 63
4) Aussagen Rudolf Baum
5) Blaue Kartei, Staatsarchiv HH (Steuerabgaben jüdische Gemeinde HH)
6) Privatdatei Kirschninck
7) Vortrag Frau Irene Butter-Hasenberg in Laupheim 2014, zusammengefasst von Michael Schick in: Schick, Michael: Erinnerung an den Zug, der in die Freiheit fuhr. Die Geschichte und das Schicksal der Familie Hasenberg. http://www.ggg-lauphe-im.de/Berichte%20von%20Mitgl/100%20Hasenberg%20HP/100%20Hasenberg.html. Harald Kirschninck hat diesen Aufsatz der besseren Lesbarkeit

wegen an einigen Stellen orthographisch und grammatikalisch verbessert. Irene ist Professor Emeritus of Public Health at the University of Michigan; verh. mit Charles Butter (Emeritus Professor of Psychology and Neuroscience at University of Michigan), hat zwei Kinder Pamela und Noah, ist sehr aktiv im Raoul Wallenberg Project at University of Michigan (University of Michigan Wallenberg Executive Committee)

8) Jermies, Maximilian: John Hasenberg. In: Gegen das Vergessen, a.a.O., S. 26f

9) Schick, Michael, a.a.O. Frau Butter-Hasenberg hat für das Projekt Oral History auch Audiodateien mit ihren Interviews veröffentlicht. Vgl.: http://holocaust.umd.umich.edu/butter/

10) Das Polizeiliche Judendurchgangslager Westerbork war eines der beiden von den nationalsozialistischen Besatzern in den Niederlanden eingerichteten zentralen Durchgangslager (KZ-Sammellager) für die Deportation niederländischer und sich in den Niederlanden aufhaltender deutscher Juden in andere Konzentrations- und Vernichtungslager. In den Niederlanden ist der Begriff Kamp W. bzw. Concentratiekamp W. verbreitet. Nach: wikipedia

11) Das Konzentrationslager Bergen-Belsen lag im Ortsteil Belsen der Gemeinde Bergen im Kreis Celle (Niedersachsen).

12) Die Nothilfe- und Wiederaufbauverwaltung der Vereinten Nationen oder kurz UNRRA von engl. United Nations Relief and Rehabilitation Administration war eine Hilfsorganisation, die bereits während des Zweiten Weltkrieges am 9. November 1943 auf Initiative der USA, der Sowjetunion, Großbritanniens und Chinas gegründet wurde. Nach Kriegsende wurde sie von der UNO übernommen. Die UNRRA war in Europa bis zum 31. Dezember 1946 tätig und wurde dann durch die International Refugee Organization ersetzt. In Afrika, im Nahen Osten und China arbeitete sie bis zum 30. Juni 1947. Hauptaufgabe der UNRRA war die Unterstützung der Militäradministration bei der Repatriierung der sogenannten Displaced Persons (DP). Der UNRRA kam dabei die Aufgabe zu, die DP-Lager in den befreiten Gebieten zu betreuen. Für jedes Lager war ein UNRRA-Team zuständig, das der örtlichen Militärkommandantur unterstellt war. Die UNRRA ihrerseits war in den Lagern den nichtmilitärischen Hilfsorganisationen gegenüber, wie dem Roten Kreuz oder dem Joint Distribution Committee weisungsberechtigt. Nach Wikipedia.org. Der Begriff Displaced Person (DP; engl. für eine „Person, die nicht an diesem Ort beheimatet ist") wurde im Zweiten Weltkrieg vom

Hauptquartier der alliierten Streitkräfte (SHAEF) geprägt. Damit wurde eine Zivilperson bezeichnet, die sich kriegsbedingt außerhalb ihres Heimatstaates aufhielt und ohne Hilfe nicht zurückkehren oder sich in einem anderen Land neu ansiedeln konnte. Nach wikipedia.org.

13) Philippeville ist eine ehemalige Festungsstadt und Gemeinde in der Provinz Namur im wallonischen Teil Belgiens. Nach: wikipedia.org

14) Vortrag Frau Irene Butter-Hasenberg in Laupheim 2014, zusammengefaßt von Michael Schick in: Schick, Michael: Erinnerung an den Zug, der in die Freiheit fuhr. Die Geschichte und das Schicksal der Familie Hasenberg. http://www.ggg-
lauphe-
im.de/Berichte%20von%20Mitgl/100%20Hasenberg%20HP/100%20Hasen
berg.html
Harald Kirschninck hat diesen Aufsatz der besseren Lesbarkeit wegen an einigen Stellen orthographisch und grammatikalisch verbessert.

15) Annelies Marie „Anne" Frank (geboren 12. Juni 1929 in Frankfurt am Main als Anneliese Marie Frank; gestorben Anfang März 1945 im KZ Bergen-Belsen) war ein jüdisches deutsches Mädchen, das 1934 mit seinen Eltern in die Niederlande auswanderte, um der Verfolgung durch die Nationalsozialisten zu entgehen, und kurz vor dem Kriegsende dem nationalsozialistischen Holocaust zum Opfer fiel. In den Niederlanden hatte sie ab Juli 1942 mit ihrer Familie in einem versteckten Hinterhaus in Amsterdam gelebt. In diesem Versteck hielt Anne Frank ihre Erlebnisse und Gedanken in einem Tagebuch fest, das nach dem Krieg als Tagebuch der Anne Frank von ihrem Vater Otto Frank veröffentlicht wurde. Nach: Wikipedia.org

16) Markiewicz, Agathe: Es ist wichtig, an die Toten zu erinnern. In: Schwäbische Zeitung v. 11.3.2014

17) ebenda

Hertha Helischkowski, geb. Hasenberg

Name:	Hertha Helischkowski, geb. Hasenberg
Geburtsdatum:	25.5.1903 in Elmshorn
Sterbedatum:	4.7.1989 in St. Petersburg (Florida)
Eltern:	Julius Hasenberg und Henny Lippstadt
Ehegatte:	1) Alex Helischkowski, 2) Bruno Behr
Kinder:	Lutz (1931), Ursula Henny (1934), Gabriele (1937)
Wohnort:	Elmshorn, Berlin, Santiago de Chile, St. Petersburg
Beruf:	Verkäuferin
Deportationsdatum 1:	30.10.1942
Deportationsort 1:	Theresienstadt
Deportationsdatum 2:	
Deportationsort 2:	
Weiterer Verbleib:	befreit, zurück nach Berlin, 1947 USA
Stolperstein:	Nein

Das neunte Kind von Julius Hasenberg und Henny Lippstadt war Herta Hasenberg, die am 25.5.1903 in Elmshorn geboren wurde. (1) Herta heiratete in Elmshorn am 28.2.1930 den Vertreter Alex Helischkowski, der am 15. Dezember 1895 in Deutsch Krone (Walcz, Zachodniopomorskie, Polen) geboren wurde. (2) Herta arbeitete als Verkäuferin. (3)

„Das Ehepaar nahm seinen Wohnsitz in Berlin, Alex war Spirituosenhändler. Herta und Alex bekamen drei Kinder: Lutz (Louis) wurde am 9. Februar 1931 in Berlin geboren, er starb am 12. Februar 2013 in Smyrna (Delaware, USA). Ursula Henny (Uschi) wurde am 5. September 1934 in Berlin geboren. Gabriele (Gaby) wurde am 26. Juli 1937 ebenfalls in Berlin geboren, sie starb am 6. Juni 2007 in Tampa (Florida, USA).

Die Familie wurde aus Berlin am 30. Oktober 1942 in das Ghetto Theresienstadt deportiert. Während seiner Haft in Theresienstadt war Alex offenbar aufsässig und wurde 10.12.1943 mit Arrest bestraft. Am 28. September 1944 wurde Alex dann von Theresienstadt nach Auschwitz weitertransportiert, wo er ermordet wurde. Es gibt Zeugnisse, dass Alex nicht kräftig genug war, um zu arbeiten und daraufhin in einer der Gaskammern von Birkenau getötet wurde. Seine Frau

Herta und die drei Kinder blieben in Theresienstadt am Leben, wurden befreit und kehrten vorübergehend nach Berlin zurück. Sie lebten bei Alex Bruder Dr. Siegmund Helischkowski, der am Jüdischen Krankenhaus tätig war. Herta und ihre Kinder emigrierten 1947 in die Vereinigten Staaten." (4)

Hertha, Lutz, und Ursula Helisch-kowski, Bild: Familienarchiv Jeffrey E. Meyerson (USA), aus: Meyerson, Jeffrey E., Stolperstein Duisburger Strasse 12. Stolpersteine Berlin.

Alex Helischkowski, Foto aus geni.com

Später heiratete Herta in zweiter Ehe Bruno Behr. Nach Aussagen von Christian Rostock und Bert Hillebrand verzog Hertha nach Santiago de Chile. (5) Sie zog in die USA zurück und verstarb dort am 4.7.1989 in St. Petersburg (Florida). Sie ist begraben auf dem Friedhof in Tampa. (6)

Hochzeit Hertha Hasenberg und Alex
Helischkowski   Bild: Familienarchiv
Jeffrey E. Meyerson (USA), aus: Meyer-
son, Jeffrey E., Stolperstein Duisburger
Strasse 12. Stolpersteine Berlin.

Hochzeit von Herta Hasenberg und Bruno Behr.
Foto: aus geni.com

Anmerkungen:

1)   Kennkarte
2)   Kennkarte und Meyerson, Jeffrey E.: Stolperstein Duisburger Strasse
        12. Stolpersteine Berlin.
3)   Nach Christian Rostock und Frau Andresen
4)   Meyerson, Jeffrey E., Stolperstein Duisburger Strasse 12. Stolpersteine
        Berlin.
5)   Nach Christian Rostock und Bert Hillebrand
6)   Meyerson, Jeffrey E., Stolperstein Duisburger Strasse 12. Stolpersteine
        Berlin. Und www.geni.com

Name:	Ferdinand Hertz
Geburtsdatum:	7.11.1861 in Elmshorn
Sterbedatum:	28.7.1942 in Theresienstadt
Eltern:	Meyer Hertz und Emma Lippstadt
Ehegatte:	Martha Friedheim
Kinder:	5
Wohnort:	Elmshorn, Hamburg
Beruf:	Handelsvertreter
Inhaftierung Pogrom 1938:	unbekannt
Deportationsdatum 1:	15.7.1942
Deportationsort 1:	Theresienstadt
Deportationsdatum 2:	
Deportationsort 2:	
Weiterer Verbleib:	
Stolperstein:	Ja, in Hamburg

Ferdinand Hertz, der erste Sohn von Meyer Hertz und Emma Lippstadt, wurde am 7.11.1861 in Elmshorn geboren. (1) Er heiratete die am 11.11.1868 in Grevesmühlen geborene Martha Friedheim, Tochter von Ferdinand Friedheim und Jettchen, geborene Schoening. Die Heirat fand am 19.5.1899 in Hamburg statt. (2) Martha starb am 15.5.1934 in Hamburg. (3)

„Ferdinand Hertz war von Beruf Handelsvertreter und er besaß eine eigene Firma, die im Jahre 1906 als Vertretung für Dekorationsstoffe ins Handelsregister eingetragen worden war. Er hatte fünf Kinder, von denen mindestens vier ihr Leben durch eine rechtzeitige Auswanderung retten konnten. Wahrscheinlich ist Ferdinand Hertz nach dem Tod seiner Frau Martha aus der Wohnung in der Isestraße 113 ausgezogen. 1933 war er dort noch im Adressbuch verzeichnet. Nach 1934 zog er mindestens vier Mal um, bis er im März 1942 in das "Judenhaus" in der Dillstraße 15 kam.
Seine Einkünfte gingen seit 1934 ständig zurück. Am 1. Januar 1939 wurde die Firma aus dem Handelsregister gelöscht. Über den Rest seines Vermögens durfte er nicht mehr frei verfügen, sondern bekam monatlich das Geld für seinen

Lebensunterhalt zugeteilt. In der Dillstraße erreichte den Achtzigjährigen am 15. Juli 1942 der Deportationsbefehl nach Theresienstadt, wo er bereits nach weniger als zwei Wochen starb." (4)

Ferdinand starb am 28.7.1942 in Theresienstadt. (5) Für Ferdinand wurde in Hamburg ein Stolperstein verlegt. Die Biografien der Kinder von Ferdinand und Martha Hertz sind nicht bekannt.

https://commons.wikimedia.org/wiki/File:Stolperstein_Isestra%C3% 9Fe_113_(Ferdinand_Hertz)_in_Hamburg-Harvestehude.JPG Foto: Hinnerk11

Nr. 500

Nr. 500

Hamburg, am _____ ten
_____ tausend acht hundert neunzig und _____,

Vor dem unterzeichneten Standesbeamten erschienen heute zum Zwecke der Eheschließung:

1. der _____ Ferdinand
_____

der Persönlichkeit nach _____ bekannt,
_____ Religion, geboren den _____
_____ des Jahres tausend acht hundert
_____ zu _____
_____ wohnhaft zu Hamburg,
_____

Sohn der Eheleute _____ Meier
Hertz _____ geborenen
_____ später verstorben,
letztere _____ wohnhaft
zu _____;

2. die _____ Martha Friedheim,
_____

der Persönlichkeit nach _____ bekannt,
_____ Religion, geboren den _____
November _____ des Jahres tausend acht hundert
_____ zu _____
_____ wohnhaft zu Hamburg
_____ Straße 112,

Tochter der Eheleute _____ Ferdinand Friedheim und _____
geborenen Schoening, _____
verstorben, letztere _____ wohnhaft
zu Hamburg.

Gemäß Verordnung
des Z_____ Justizamts
in Ha_____ 17.2.1948
ist der _____ Rand-
verm_____ 1948
unge_____
Ham_____ 1948

Der Standesbeamte:
in Vertretung

Ancestry.com. *Hamburg, Germany, Marriages, 1874-1920* [database on-line]. Provo, UT, USA: Ancestry.com Operations, Inc., 2015.Original data: Best. 332-5 Standesämter, Personenstandsregister, Sterberegister, 1876-1950, Staatsarchiv Hamburg, Hamburg, Deutschland.

85

Anmerkungen:

1) Kennkarte
2) Ancestry.com. *Hamburg, Germany, Marriages, 1874-1920* [database on-line]. Provo, UT, USA: Ancestry.com Operations, Inc., 2015.Original data: Best. 332-5 Standesämter, Personenstandsregister, Sterberegister, 1876-1950, Staatsarchiv Hamburg, Hamburg, Deutschland.
3) Ancestry.com. *Hamburg, Germany, Deaths, 1874-1950* [database on-line]. Provo, UT, USA: Ancestry.com Operations, Inc., 2015.Original data: Best. 332-5 Standesämter, Personenstandsregister, Sterberegister, 1876-1950, Staatsarchiv Hamburg, Hamburg, Deutschland.
4) Zitiert nach: Christa Fladhammer in: http://www.stolpersteine-hamburg.de/?&MAIN_ID=7&r_name=hertz&r_strasse=&r_bezirk=&r_stteil=&r_sort=Nachname_AUF&recherche=recherche&submitter=suchen&BIO_ID=1403
5) Am 12.10.1953 durch Beschluß des Amtsgerichts in Hbg. für tot erklärt; Sterbefall beim Sonderstandesamt Arolsen Nr. 973/1956 beurkundet ; Memorbuch z. Gedenken an die jüdischen, in der Schoa umgekommenen SH und SHinnen

Regina (Regine) Hertz

Name: Regina (e) Hertz
Geburtsdatum: 25.9.1868   in Elmshorn
Sterbedatum: 31.10.1943   Theresienstadt
Eltern: Wulff Philipp Hertz und Friederike (Rieke) Haag
Ehegatte: ledig
Kinder: keine
Wohnort: Elmshorn, Bleckede
Deportationsdatum 1:   23.6.1943
Deportationsort 1:   Theresienstadt
Deportationsdatum 2:
Deportationsort 2:
Weiterer Verbleib:
Stolperstein: Nein

Die älteste Tochter von Wulff Philipp Hertz und Friederike (Rieke) Haag, Regine Hertz, wurde am 25.9.1868 in Elmshorn geboren. (1) Sie blieb ihr Leben lang alleinstehend (2) und zog später zu ihrem Bruder, Kaufmann Hermann Hertz, der in Bleckede bei Lüneburg in der Breiten Str. 27 zusammen mit Karl August Dierks das „Manufaktur- und Modewarengeschäft Dierks & Hertz, Elkan Nachfolger" betrieb. Hermann Hertz starb 1935 im Alter von 65 Jahren, sein Grab ist das letzte eines jüdischen Bürgers auf dem jüdischen Friedhof in Bleckede. Regine Hertz kann bis zu ihrer Deportation 1943 zunächst im Haus Breite Str. 27 wohnen bleiben - im Gegensatz zu anderen, die auch in Bleckede in ein „Judenhaus" ziehen mussten. Sie wird 1943 zunächst nach Hamburg gebracht. (3) Am 23.6.1943 wurde Regine mit 104 anderen Personen mit dem Transport VI/8-50 (25.6.1943 ab Hamburg) in das KZ Theresienstadt deportiert, wo sie nur vier Monate später am 31.10.1943 im Alter von 75 Jahren verstarb. (4)

Foto: Manufaktur- und Modewarengeschäft Dierks & Hertz, Elkan Nachfolger: mit freundlicher Genehmigung von Bodo Christiansen: www.judeninbleckede.de.Foto und Copyright: Sammlung Jens Lohmann, Bleckede

Anmerkungen:

1)   Personendatei Kirschninck, Kennkarte
2)   Ebenda
3)   Bollgöhn, Sibylle: Jüdische Familien in Lüneburg - Erinnerungen, Lüneburg 1995, S. 96 ff
4)   Memorbuch z. Gedenken an die jüdischen, in der Schoa umgekommenen SH und Shinnen

Name:	Albert Hirsch
Geburtsdatum:	24.9.1878 in Mogilno (Posen)
Sterbedatum:	1.12.1941 in Hamburg
Eltern:	Wilhelm Hirsch und Ernstine Baschinsky
Ehegatte:	Gertrud Schmerl
Kinder:	Heinz-Walter (1920), Horst Karlick (1917,Stiefsohn)
Wohnort:	Elmshorn
Beruf:	Konservenfabrik
Inhaftierung Pogrom 1938:	Ja, Sachsenhausen
Deportationsdatum 1:	1943
Deportationsort 1:	
Deportationsdatum 2:	
Deportationsort 2:	
Weiterer Verbleib:	Selbstmord durch Erhängen nach Erhalt des Deportationsbescheides
Stolperstein:	Ja

Albert Hirsch, der am 24.9.1878 als Sohn des Fleischermeisters Wilhelm Hirsch und seiner Frau Ernstine Baschinsky in Mogilno (Posen) geboren wurde, kam im Jahre 1919, nach seiner Dienstzeit im 1. Weltkrieg, nach Elmshorn (1) und heiratete am 15.11.1919 in Elmshorn seine Frau Gertrud, geb. Schmerl. (2) Sie wurde am 21.11.1881 in Darkemen (Ostpreussen) als Tochter des Kaufmanns Abraham Schmerl und Charlotte Preuss geboren. (3) Gertrud Schmerl war Witwe und brachte ihren Sohn Horst Karlick mit in die Ehe, der am 1.9.1916 geboren wurde. (4) Ihr erster Mann, Arthur Karlick, geboren am 22.9.1881 in Königsberg als Sohn des Pferdehändlers Hirsch Karlick und seiner Ehefrau Berta Jankelowitsch (5), ist als 36jähriger im 1. Weltkrieg gefallen, wo er als Wachtmeister im 2. Ostpreussischen Feldartillerie-Regiment diente. (6) Das Ehepaar wohnte in Berlin. (7)

Albert und Gertrud Hirsch bekamen am 16.10.1920 einen gemeinsamen Sohn, den sie Heinz-Walter nannten. (8) Die Familie Hirsch wohnte in der Lornsenstr. 35 in Elmshorn.
Albert Hirsch war der Besitzer der Konservenfabrik Hirsch am Gerlingsweg.

Abb. Links: Albert Hirsch als Soldat im 1. Weltkrieg. Abb. Rechts: Gertrud Hirsch. Beide Fotos von Heinz Hirsch. ©Privatarchiv Kirschninck.

Wohnhaus der Familie Hirsch in der Lornsenstrasse 35. Foto: Heinz Hirsch. ©Privatarchiv Kirschninck.

Israelitischen Kalender von 1926/27. Inserat Kal.SH 5687, S. 68.

Abb.: Konservenfabrik Hirsch. Bilder von Heinz Hirsch. ©Privatarchiv Kirschninck

Ehem. Fabrik Hirsch im Gerlingweg 13. Aufn. Von Sartorti. O.J. http://www.spurensuche-kreis-pinneberg.de/spur/zwangsarbeiter-lager-lager-wilhelm-bull-gerlingweg-13/

Abb.: Ehepaar Gertrud und Albert Hirsch. Bild von Heinz Hirsch. ©Privatarchiv Kirschninck

Albert war ein sehr angesehener Mitbürger. Er fungierte als Ersatzdeputierter, war mehrere Jahre Vorsteher (1929, 1931, 1934, 1937) und 1940 der letzte freigewählte Vorsteher der Elmshorner Jüdischen Gemeinde. (9) In dieser Funktion musste er am 5.9.1940 der Vereinbarung zustimmen, dass keine weiteren Beerdigungen auf dem jüdischen Friedhofes stattfinden. (10)

Mit Beginn des Nationalsozialismus begannen auch der Niedergang der Fabrik und die schweren Jahre für die Familie Hirsch. Seit Juni 1935 durfte auf den Geschäftspapieren der Fabrik nicht mehr das Elmshorner Stadtwappen stehen. Dieses wurde in der Beigeordnetensitzung vom 12.6.1935 beschlossen. (11) 1938 wurde die Fabrik schließlich arisiert, d.h. von einem Nationalsozialisten enteignet. Gauwirtschaftsberater Wilhelm Bull, der neue Besitzer verschickte am 1. August 1938 Briefe, in denen er sich der Kundschaft empfahl. Jetzt prangte auf dem Briefkopf auch wieder das Elmshorner Stadtwappen. (12)

Am 28.7.1938 wurde in den Elmshorner Nachrichten über die Arisierung der Fabrik berichtet. (13) Die Fabrik wurde später für ca. 65 Zwangsarbeiter aus der Sowjetunion, Lettland, Litauen und Frankreich als Lager genutzt. Verantwortlich für das Lager war die NSDAP Ortsgruppe Altstadt. Die Zwangsarbeiter wurden im Betrieb eingesetzt, der von dem von dem Juden Hirsch übernommen wurde. (14)

Am 16. September 1938 verstarb Gertrud Hirsch und wurde in Hamburg auf dem Jüdischen Teil des Ohlsdorfer Friedhofs beigesetzt. (15) Ihr Sohn Horst Karlick aus erster Ehe war im Mai 1935 nach Hamburg verzogen und von dort nach Peru ausgewandert. (16) Hier heiratete er vermutlich 1947/48 Maria Diaz de Karlick und sie bekamen am 12.4.1948 in Lima eine Tochter: Susana Gertrudis Karlick Diaz. (17)

Zurück in Elmshorn blieben Albert und Heinz Hirsch. Beide wurden in der Nacht vom 9. auf den 10. November 1938 verhaftet und in das Konzentrationslager Sachsenhausen verschleppt.

Heinz beschrieb seine Verhaftung und den Aufenthalt im KZ Sachsenhausen folgendermaßen:

„Um 5 Uhr morgens klopften sie an unsere Tür. Mein Vater und ich wurden wie Kühe zum Bahnhof geschleppt und sofort auf einen Frachtwaggon geladen. Die Türen wurden von draußen abgeschlossen. Wir saßen mit vielen anderen, die schon in Schleswig-Holstein eingesammelt wurden, im Waggon und nach 24 Stunden wurden wir in Sachsenhausen ausgeladen und wie Kühe oder Schweine in das Lager getrieben. Dort mussten wir weitere viele Stunden stehen, bis wir später in die neugebauten Holzhäuser geschleppt wurden. Und ich sage geschleppt, weil schon sehr viele ältere Männer nicht mehr stehen konnten und schon auf dem Boden lagen...

Der Weg vom Zug zum Lager war auch ziemlich weit und der Zug von Männern war sehr lang, denn es waren ja nicht nur die Elmshorner Juden, sondern auch beinahe von ganz Deutschland und alle Verhaftungen waren ja auf einem Tag ausgeführt. So etwas zu erleben und auch mitzumachen, ist kaum denkbar. Mit etwas Glück wurde mein Vater nach einigen Wochen entlassen und wahrscheinlich durch seinen guten Einfluss wurde auch ich noch etwas später entlassen. Mein Vater sagte mir, ich solle nicht wieder nach Elmshorn zurückgehen, sondern versuchen, sofort auszuwandern, was mir auch möglich war..." (18)

Zurück blieb Albert Hirsch, der letzte Vorsteher der jüdischen Gemeinde. Die Nationalsozialisten erpressten von ihm noch am 5. September 1940 die Vereinbarung, dass künftig keine Beisetzungen mehr auf dem jüdischen Friedhof stattfinden sollten, da man beabsichtigte, diesen Friedhof nach einer Übergangsfrist aufzulösen und zu bebauen. Zeitweise wohnte Frieda Dieseldorff bei Albert und führte ihm den Haushalt. Sein Jugendfreund, Siegfried Knobloch, der ihn häufig besuchte beschreibt in zwei Briefen an Frau Baum, den Zustand von Albert.

HOLSTEINISCHE KONSERVENFABRIK
WILHELM BULL
ELMSHORN BEI HAMBURG

Fernsprecher 3632

Bank-Konten:
Spar- und Leihkasse Elmshorn

Postscheck-Konto: Hamburg 313-63

Postfach 88

Elmshorn, den 1. August 1938

Bitte nehmen Sie Kenntnis!

Im Wege der Entjudung habe ich heute im Einvernehmen mit den oberen Verwaltungsbehörden die Firma Holsteinische Konservenfabrik Albert Hirsch käuflich erworben.

Ich werde das Werk unter der Bezeichnung

Holsteinische Konservenfabrik Wilhelm Bull

weiterführen.

Der verehrten Kundschaft, meinen Geschäftsfreunden und meinen Mitarbeitern, bringe ich dieses hiermit zur Kenntnis.

Als Lebensmittelfachmann werde ich mein Bestreben darauf richten, das Werk leistungsfähig zu gestalten und meine Kundschaft mit preiswerten Qualitätserzeugnissen zu beliefern.

Bitte, schenken Sie mir Ihr Vertrauen.

Heil Hitler!

Wilhelm Bull

Schreiben von Bull an die Kundschaft der „Holsteinischen Konservenfabrik". Aus: Billstein, Aurel: Der große Pogrom, die „Reichskristallnacht" in Krefeld. Krefeld 1978

Albert Hirsch. Foto: Heinz Hirsch. ©Privatarchiv Kirschninck

Albert Hirsch. Foto: Heinz Hirsch. ©Privatarchiv Kirschninck

Horst Karlick und Heinz Hirsch. Aufnahme in Peru o.J. Foto von Heinz Hirsch. ©Privatarchiv Harald Kirschninck.

„ Ich bin ein Jugendfreund von Albert Hirsch…. Wir waren jeden Sonntag bei Albert und Frieda eingeladen und haben beide an uns mehr wie Geschwister gehandelt … Leider hat Albert nicht den Mut aufgebracht, die Sache mit Ecuador ernstlich zu betreiben, da er es in Elmshorn gut hat und jetzt der einzige Jude dort ist und auch noch Telefon hat, da er den Friedhof betreut.

Hoffentlich werden jetzt seine Söhne in Lima, denen ich von hier geschrieben habe, die auch 500 $ Vorzeigegeld von Ihnen (Anm.: von Frau Baum) erhalten haben, dafür sorgen, dass die Einreise bald für Albert erfolgen kann. Wir sind am 20.10.1941 von Hamburg abgefahren und war der Abschied besonders von Albert sehr schwer, da derselbe ein Tag vorher aus Berlin kam, wo er ca. 2 Tage war und in dieser Zeit sind ca. 5000 Juden von Berlin nach Polen abgeschoben worden und am 24.10. ca. 1500 von Hamburg, 1200 von Elberfeld, 1500 von Köln und ca. 1000 von Düsseldorf auch nach Polen und ist dieses ein sicherer Hungerstod. Albert schickt wöchentlich 5-6 Pakete nach Polen und tut sehr viel Gutes und ist er ein guter seltener Mensch. Frida ist seine rechte Hand und hat sie dadurch große Vergünstigungen, dass sie einen Mischsohn hatte und 1 arischen Sohn, bekommt eine Kleiderkarte, mehr Lebensmittel auf Karten, braucht auch den Judenstern nicht zu tragen und kann in jedes Geschäft gehen und kommt es Albert zu Gute. Ich bin in der Lage gewesen, keine Unterstützung von Albert zu haben, da ich von meinem Sperrkonto monatlich für mich und Frau genügend Geld bekomme. Albert bat mich, an Sie zu schreiben und sollte Albert was passieren, was Gott behüten soll, so sollen sein Sohn Heinz und sein Stiefsohn je die Hälfte seines Geldes haben, was (bei) ihnen ist. Albert hat bei Ihnen 870 $ und hat noch zuletzt 75 $ überwiesen. Eine Cousine seiner verstorbenen Frau, Trude Eisenberg in Berlin, hat bei Ihnen 3930 $, die auf Alberts Namen bei Ihnen überwiesen hat. Habe auch an Hugo Hertz nach London geschrieben. Wir haben eine schwere Seereise von Barcelona über ca. 4 Wochen nach hier gehabt auf einem Frachtdampfer, der mit ca. 500 Juden besetzt war und durften nur ja 2 Koffer und je 4 $ von Deutschland mitnehmen. Hier kamen wir am 1.12. an und kamen vom Schiff in Camp Tiscornia und sollen ca. 19.12. rüber nach Columbien und von dort zu unserer verheirateten Tochter nach Quito-Ecuador. Wann wir dort eintreffen, ist noch ungewiß. …. Jede jüdische Familie ist eine Tragödie. Und wird uns die Auswanderung nicht leicht gemacht. Frau und Tochter Israel und Frau Mitz in Hamburg läßt herzlich grüßen. Hugo Hertz soll in London verstorben sein. Uns hat der l. Gott immer noch in letzter Stunde geholfen und sind wir 5 Minuten vor 12 noch aus dieser Hölle herausgekommen. Jetzt wo der Krieg mit Deutschland, Japan- Amerika gekommen ist, sehe ich für alle, kein Auskommen mehr und ist es furchtbar an diese armen Menschen zu denken, die dort zurück geblieben sind. Albert und Frida senden Ihnen herzlichste Grüße sowie unbekannterweise Ihr Siegfried Knobloch und Frau.

Bitte schreiben Sie mir nach Quito, ob Albert geschrieben hat." (19)

Im November 1941 erhielt Albert Hirsch seinen Deportationsbescheid nach Riga. (20) Er begab sich am 1. Dezember 1941 auf den jüdischen Teil des Ohlsdorfer Friedhofs, wo seine Frau Gertrud beerdigt worden war, und wurde dort um 15.30 Uhr erhängt aufgefunden. (21)

In den Elmshorner Nachrichten erschien am 4.12.1941 darüber eine kleine Notiz:

"Freiwillig aus dem Leben geschieden ist der frühere Besitzer der Holsteinischen Konservenfabrik H. Man fand ihn in einem Toilettenraum auf dem Ohlsdorfer Friedhof erhängt auf." (22) Am 27.4.1942 wurde das Vermögen von Albert Hirsch und Horst Karlick „wegen volks- und staatsfeindlichen Bestrebungen des von Abschiebung erfassten Juden Hirsch" eingezogen. (23)

Nach dem Selbstmord von Albert Hirsch erhielt Siegfried Knobloch einen Abschiedsbrief von Albert: Albert habe die Einreise für Lima über Kuba bekommen, aber leider zu spät, daher wähle er jetzt einen anderen Weg. Knobloch schrieb in seinem Brief an Paula Baum weiter:

„... Leider hat Albert selbst viel Schuld an seinem traurigen Ende, ..., da er nicht von seinen Kindern abhängig sein wollte und ein sehr gutes Leben in Elmshorn hatte und er noch dadurch bestärkt worden ist, das verschiedene frühere Landwirte und Lieferanten von Gemüse, Albert sagten, daß er es nicht nötig hat, fortzugehen, da er seine Fabrik doch bald wiederbekommen wird. Wir haben alles versucht, daß Albert mit uns herkommen soll und hatte er auf unsere Veranlassung die 500 $ nach hier überweisen lassen und waren wir jeden Sonntag in Elmshorn und Albert oder Frida wöchentlich bei uns und haben alle Briefe, die wir erhielten, gemeinschaftlich vorgelesen und sind wir über jeden Angehörigen und Bekannten im Bilde.
Der Abschied von Albert und Frida war sehr schwer und sagte mir Albert, der wohl schon eine Ahnung von seinem Tode hatte, daß Heinz und sein Stiefsohn Horst zu gleichen Teilen seine Dollar bei Ihnen, erhalten sollen. Habe mir die Zahlen in meinem Notizbuch eingeschrieben, Albert hatte bei ihnen 870 $,

Abschrift.   Anlage 6.

Geheime Staatspolizei.   Kiel,den 15.Nov.1941.
Staatspolizeileitstelle Kiel.
B.Nr.II B 5 -5350/41.

                          Abschrift.

An den
Herrn Landrat
in Pinneberg.

Betr.: Evakuierung von Juden.
Vorg.: Mein B.Rf.Nr.1 II B 5 - 535/41 v.25.10.41.
Anl. : 2

Als Anlagen übersende ich 2 Vordrucke über Vermögenserklärung
für Juden mit der Bitte, sie den für die Evakuierung vorgesehenen Juden Albert Israel Eisen und Karl Israel Löwenstein
in Elmshorn mit der Anweisung auszuhändigen, die Vordrucke
umgehend gemässheit und gut leserlich auszufüllen, wenn
möglich mit Schreibmaschine. Sachen, die mitgenommen werden,
sind nicht einzutragen. Für die Mitnahme sind je Person zugelassen:
1. Ein Koffer mit Ausrüstungsstücken im Gewicht bis zu 50 kg.
2. Vollständige Bekleidung, möglichst festes Schuhwerk.
3. Bettzeug mit Decke.
4. Verpflegung für 14 Tg.bis 3 Wochen.
5. Bargeld bis zu RM 50,-.

Von der Mitnahme sind ausgeschlossen Wertpapiere, Devisen,
Sparkassenbücher, Wertsachen jeder Art mit Ausnahme des Eheringes,
lebendes Inventar. Das Vermögen der für die Evakuierung
vorgesehenen Juden ist rückwirkend ab 15.10.41 beschlagnahmt.

Den für die Mitnahme vorgesehenen Barbetrag von RM 50,- bitte
ich, falls vorhanden, einzuziehen und zusammen mit den ausge-
füllten Vordrucken bis zum 20.11.41 nach hier einzusenden.
Den Termin des Abtransportes werde ich noch bekannt geben.
Vorsorglich bitte ich, den Betrag für die Eisenbahnfahrt zum
Bahnhof der Betroffenen bis nach Kiel aus deren Vermögen sicher-
zu stellen.

                    I.A.   Beglaubigt:
                gez.Bernekow.   gez.Wiese,
                                          Verwaltungsangestellte.

F.d.R.d.A.

(Peters)
Pol.?Sa.

Bundesarchiv Koblenz, Z 42 III/3214

                                                           101

Nr. 691   C.

Hamburg, den 5. Dezember 19 41

Der Kaufmann Albert Israel H i r s c h , - -

- - - - - - - - - - - - - , - mosaisch, - - - - -

wohnhaft in Elmshorn, Lornsenstraße 35, - - - - - - -,

ist am   1. Dezember 1941 - - - - um 15 Uhr 30 Minuten

in Hamburg, Ihlandstraße 68, tot aufgefunden worden verstorben.

Der Verstorbene war geboren am   24. September 1878 - - - -

in   Mogilno / Posen. - - - - - - - - - - - - - - -

(Standesamt Mogilno - - - - - - - - - - - - -Nr. 85/78   ).

Vater: Wilhelm H i r s c h , - - - - - - - - -

zuletzt wohnhaft in Mogilno. - - - - - - - - - - - - -

Mutter: Ernstine geborene Raszynska, - - - - - - - -

zuletzt wohnhaft in Elmshorn. - - - - - - - - - -

Der Verstorbene war - nicht - verheiratet - Witwer der Gertrud

geborenen Schmerl, zuletzt in Elmshorn wohnhaft . - - - - -

- -

Eingetragen auf mündliche - schriftliche - Anzeige des Polizeipräsi-

denten in Hamburg vom 3. Dezember 1941. - - - - - - - -

- D - - Anzeigende - - - - - - - - - - - - - - -

- -

- -

Vorgelesen, genehmigt und - - - - - - unterschrieben

- - - - - - - - - - - - - - - - - - - -

- - - - - - - - - - - - - - - - - - -

Der Standesbeamte

Todesursache: Erhängen Selbstmord. - - - - - - - - - -

Eheschließung des Verstorbenen am 25.11.19 in Elmshorn

(Standesamt   Elmshorn - - - - - - - - - Nr. 175   ).

Ancestry.com. Hamburg, Germany, Deaths, 1874-1950 [database on-line]. Provo, UT, USA: Ancestry.com Operations, Inc., 2015. Original data: Best. 332-5 Standesämter, Personenstandsregister, Sterberegister, 1876-1950, Staatsarchiv Hamburg, Hamburg, Deutschland.

Regierungspräsident Schleswig, 27.April 1942 J.Nr. IPP.6318
(Kiel) 8.3.

An den
Herrn Oberfinanzpräsidenten

in Kiel

2 Anl.
(Aktenstücke)

Abschrift

uf Grund des Gesetzes über die Einziehung kommunistischen Vermögens
om 26.5.1933 - RGBl.I S.293 - in Verbindung mit der Durchfüh-
ungsverordnung des Preuss.Ministers des Innern vom 31.5.33 - GSS.207-
nd mit dem Gesetz über die Einziehung volks- und staatsfeindlichen
'ermögens vom 14.7.33 (RGBl.I S.479) werden die nachstehend aufgeführ-
en und die übrigen noch nicht bekannten Vermögenswerte im Deutschen
eiche des am 1.12.41 verstorbenen Juden Albert Israel Hirsch, geb.
4.9.78 in Mogilno, RD., wohnhaft gewesen in Elmshorn, Lornsenstraße
5, nämlich:

1 Wohnhaus mit Ingut in Elmshorn, Lornsenstr.35	=	13 300 ℛℳ	
1 " in Königsberg, Otto Reinkestr.14	=	5 400 ℛℳ	
Wertpapiere bei der Kommerzbank Elmshorn	=	50231,25 ℛℳ	
2 Hypothekenbriefe nebst aufgelaufenen Zinsen für den Juden Horst Erwin Karlick in Lima (Peru), und zwar:	=	14 500 ℛℳ	

1 : 2500 GM eingetragen im Grundbuch von
    Elmshorn Bd.117 Bl.4324 in Abt.III,Nr.17,
    Eigentümer des Grundstücks Max Engelbrecht
    in Elmshorn, Schillerstraße 8

1 : 12000 GM eingetragen im Grundbuch von Eckholt
    Bd.II Bl.35 A in Abt.III Nr.2, Eigentümer
    des Grundstücks Ehefrau Martha Kröger, geb.
    Kimmerle, Franzosenhof bei Elmshorn.

eschlagnahmt und unter Bestätigung der staatspolizeilichen Beschlag-
ahme der Stapo Kiel vom 15.10.41 gemäß Erlaß des Führers und Reichs-
anzlers über die Verwertung des eingezogenen Vermögens von Reichsfein-
len vom 29.5.41 (RGBl.I S.303) zugunsten des Deutschen Reiches einge-
:ogen.
Der Reichsminister des Innern hat festgestellt, daß die Bestrebungen
les von der Abschiebung erfaßten Juden Hirsch in Elmshorn volks- und
staatsfeindlich gewesen sind.
Dies wird nach § 6 des Gesetzes vom 26.5.33 (RGBl.I S.293) öffentlich
bekannt gemacht.

                    Schleswig, den 27.April 1942
                     Der Regierungspräsident
                         Im Auftrage
IPP.6318 (Kiel) 8.3.   gez. Unterschrift

                                    Beglaubigt
                                    Wiech
                                    Reichsangestellte

Schreiben des Regierungspräsidenten in Schleswig an den Oberfinanzpräsidenten
in Kiel vom 27.4.1942 aus: Paul/Carlebach: Menora und Hakenkreuz, a.a.O. S. 512

sowie am 17. Okt. 1941 von Berlin abgesandt 75 $. Trude Eisenberg hat bei Ihnen 3730$ sowie am 17.Okt.41 abgesandt 200$ ….

… dass alle Juden aus Hamburg nach Polen fort sind, außer einigen   ….. Altersheime und Stifte. Die Mutter von Frida, Frau Sternberg und Frida sind im Stift Rothebaumchaussee No. 217. Wie lange weiß man nicht. Es wurde den Juden nicht leicht gemacht, auszuwandern und ist jede jüdische Familie eine Tragödie. Wir haben eine furchtbare Reise v. 12 Wochen mitgemacht und sind nur im Besitz 1 Koffers und nahm das Flugzeug von Barranguilla (Anm.: Stadt in Kolumbien) nach der Equadorischen Grenze nur je 20 Kilo pro Person mit und sind unseren 3 Koffern nebst 1Reise… mit eingewickeltem Herrenpelz, 1 Damenmantel, 2 Reisekissen unterwegs und wissen noch nicht, wann und ob wir noch in den Besitz der letzten Sachen gelangen? Wenn wir unzufrieden sind und an das Ende unseres lieben, besten und uneigennützigen Freundes Albert denken, dann an unser Ende in Polen, dann danken wir dem I. Gott inständigst, daß er uns noch gerettet hat." (24)

Anmerkungen:

1)   Kennkartenantrag Albert Hirsch. Stadtarchiv Elmshorn.
2)   Kennkarte
3)   Ancestry.com. *Berlin, Germany, Marriages, 1874-1920* [database online]. Provo, UT, USA: Ancestry.com Operations, Inc., 2014. Original data: Heiratsregister der Berliner Standesämter 1874 - 1920. Digital images. Landesarchiv, Berlin, Deutschland.
4)   The National Archives at Washington, D.C.; Washington, D.C.; Series Title: *Passenger and Crew Manifests of Airplanes Arriving at Miami, Florida.*; NAI Number: *2788541*; Record Group Title: *Records of the Immigration and Naturalization Service, 1787 - 2004*; Record Group Number: *85*
5)   Ancestry.com. *Berlin, Germany, Marriages, 1874-1920* [database online]. Provo, UT, USA: Ancestry.com Operations, Inc., 2014. Original data: Heiratsregister der Berliner Standesämter 1874 - 1920. Digital images. Landesarchiv, Berlin, Deutschland.
6)   Ancestry.com. *Germany, Select Deaths and Burials, 1582-1958* [database on-line]. Provo, UT, USA: Ancestry.com Operations, Inc., 2014. Original data: *Germany, Deaths and Burials, 1582-1958*. Salt Lake City, Utah: FamilySearch, 2013.

7)   Ebenda

8)   Kennkarte

9)   Rechnungsbücher der jüdischen Gemeinde

10)   Friedhofsakte, 5.9.1940

11)   Protokolle Beigeordneten 12.6.1935

12)   Billstein, Aurel: Der große Pogrom. Die „Reichskristallnacht" in Krefeld. Krefeld 1978.

13)   EN 28.7.38,29.7.38

14)   Gerhard Hoch und Rolf Schwarz: Verschleppt zur Sklavenarbeit. Kriegsgefangene und Zwangsarbeiter in Schleswig-Holstein, Kaltenkirchen 1985 S.159 ff. http://www.zwangsarbeiter-s-h.de/ . nach: http://www.spurensuche-kreis-pinneberg.de/spur/zwangsarbeiterlager-lager-wilhelm-bull-gerlingweg-13/. Erstellt von Volker Sartorti.

15)   Kennkarte, Personendatei Kirschninck

16)   Auskunft Heinz Hirsch

17)   Ancestry.com. *Lima, Peru, Civil Registration, 1874-1996* [database online]. Provo, UT, USA: Ancestry.com Operations, Inc., 2014. Original data: *Peru, Lima, Civil Registration, 1874-1996*. Salt Lake City, Utah: FamilySearch, 2013.

18)   Hirsch im Interview mit Kirschninck und im Brief an Carsten Petersen 2004.

19)   Brief Siegfried Knobloch an Paula Baum, 15.12.1941: Baum Collection Leo Baeck Institut New York

20)   Bundesarchiv Koblenz, Z 42 III/3214

21)   Ancestry.com. Hamburg, Germany, Deaths, 1874-1950 [database online]. Provo, UT, USA: Ancestry.com Operations, Inc., 2015.Original data: Best. 332-5 Standesämter, Personenstandsregister, Sterberegister, 1876-1950, Staatsarchiv Hamburg, Hamburg, Deutschland.

22)   EN 4.12.1941

23)   Schreiben des Regierungspräsidenten in Schleswig an den Oberfinanzpräsidenten in Kiel vom 27.4.1942 aus: Paul/Carlebach: Menora nund Hakenkreuz, a.a.O. S. 512

24)   Brief Siegfried Knobloch an Paula Baum, 2.2.42, Baum Collection Leo Baeck Institut New York

Name:	Emma Israel, geb. Oppenheim
Geburtsdatum:	2.12.1858 in Elmshorn
Sterbedatum:	17.12.1942 Treblinka
Eltern:	Selig Nathan Oppenheim und Rieke Hirsch
Ehegatte:	Kaufmann Joseph Israel
Kinder:	Paula Israel (1892)
Wohnort:	Elmshorn, Flensburg
Beruf:	
Deportationsdatum 1:	19.7.1942
Deportationsort 1:	Theresienstadt
Deportationsdatum 2:	21.9.1942
Deportationsort 2:	Treblinka
Weiterer Verbleib:	
Stolperstein:	Ja

Emma Oppenheim wurde am 2.12.1858 als Tochter von Selig Nathan Oppenheim und Rieke Hirsch in Elmshorn geboren. (1) Sie heiratete am 24.11.1891 in Elmshorn den Kaufmann Joseph Israel und bekam mit ihm am 19.8.1892 in Flensburg die Tochter Paula Israel. (2)

Joseph Israel wurde am 2.1.1859 in Witzwort /Eiderstedt als Sohn von Küsel Israel und seiner Frau Rieke Heymann geboren. (3) Am 14.2.1901 verstarb Joseph in Hamburg im Alter von 41 Jahren. (4) Er wurde auf dem Friedhof in Langenfelde begraben. (5)

Emma Israel wohnte zum Zeitpunkt ihrer Deportation im Altenheim im Kurzer Kamp 6 in Hamburg. Von hier wurde sie mit 79 Jahren am 19.7.1942 in das KZ Theresienstadt deportiert. Am 21.9.1942 erfolgte der Weitertransport in das Vernichtungslager Treblinka, wo sie am 17.12.1942 ermordet wurde. (6)

Auch Sara Paula Israel wurde wie ihre Mutter am 19.7.1942 nach Theresienstadt deportiert und von dort am 26.9.1942 in das Vernichtungslager Treblinka weiterverschleppt, wo sie dann ermordet wurde. (7)

https://commons.wikimedia.org/
wiki/File:Emma_Israel_-
_Kurzer_Kamp_6_(Hamburg-
Fuhlsb%C3%BCttel).Stolperstein.n
nw.jpg. Foto: NordNordWest,
Lizenz: Creative Commons by-sa-
3.0 de

Anmerkungen:

1)   Kennkarte
2)   Ancestry.com. *Flensburg, Germany, Birth Index Cards, 1874-1902* [database on-line]. Provo, UT, USA: Ancestry.com Operations, Inc., 2014. Original data: Karteikarten zu dem Personenstandregistern Geburt. Index cards. Stadtarchiv Flensburg, Flensburg, Deutschland; https://www.bundesarchiv.de/gedenkbuch/directory.html.de?result#frmResults
3)   Ancestry.com. *Hamburg, Germany, Deaths, 1874-1950* [database on-line]. Provo, UT, USA: Ancestry.com Operations, Inc., 2015.Original data: Best. 332-5 Standesämter, Personenstandsregister, Sterberegister, 1876-1950, Staatsarchiv Hamburg, Hamburg, Deutschland.
4)   Ebenda
5)   Ancestry.com. *Germany, Find A Grave Index, 1600s-Current* [database on-line]. Provo, UT, USA: Ancestry.com Operations, Inc., 2012.Original data: *Find A Grave.* Find A Grave. http://www.findagrave.com/cgi-bin/fg.cgi.

6)   http://www.stolpersteine-hamburg.de/?MAIN_ID=7&BIO_ID=1164;
        Memorbuch z. Gedenken an die jüdischen, in der Schoa umgekomme-
        nen SH und Shinnen, a.a.O.
        https://www.bundesarchiv.de/gedenkbuch/de886021; Im Gedenk-
        buch steht das falsche Geburtsdatum: 1.12.1858, nicht 1.12.1898.
7)   Personendatei;
        http://www.dutchjewry.org/genealogy/beck/1800.htm
        https://www.bundesarchiv.de/gedenkbuch/directory.html.de?result#f
        rmResults

Sara Paula Israel

Name:	Sara Paula Israel
Geburtsdatum:	19.8.1892 in Flensburg
Sterbedatum:	1942 in Treblinka
Eltern:	Joseph Israel und Emma Oppenheim
Ehegatte:	ledig
Kinder:	
Wohnort:	Elmshorn, Flensburg
Beruf:	
Deportationsdatum 1:	19.7.1942
Deportationsort 1:	Theresienstadt
Deportationsdatum 2:	26.9.1942
Deportationsort 2:	
Weiterer Verbleib:	
Stolperstein:	Nein

Sara Paula Israel wurde am 19.8.1892 in Flensburg als Tochter von Joseph Israel und Emma Oppenheim geboren. (1)
Auch Sara Paula Israel wurde wie ihre Mutter am 19.7.1942 nach Theresienstadt deportiert und von dort am 26.9.1942 in das Vernichtungslager Treblinka weiterverschleppt, wo sie dann ermordet wurde. (2)
Weitere biografische Angaben liegen nicht vor.

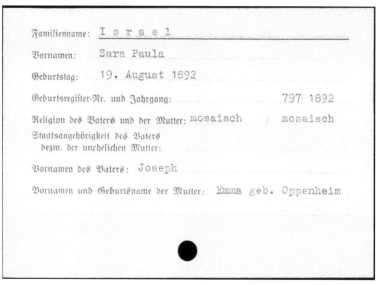

Ancestry.com. *Flensburg, Deutschland, Geburtskarteikarten 1874-1902* [database on-line]. Provo, UT, USA: Ancestry.com Operations, Inc., 2014. Ursprüngliche Daten: Karteikarten zu dem Personenstandregistern Geburt. Index cards. Stadtarchiv Flensburg, Flensburg, Deutschland

Anmerkungen:

1) Personendatei Kirschninck , Ancestry.com. *Flensburg, Deutschland, Geburtskarteikarten 1874-1902* [database on-line]. Provo, UT, USA: Ancestry.com Operations, Inc., 2014. Ursprüngliche Daten: Karteikarten zu dem Personenstandregistern Geburt. Index cards. Stadtarchiv Flensburg, Flensburg, Deutschland
2) Ancestry.com. Deutschland, Find A Grave-Index, 1600-heute [database online]. Provo, UT, USA: Ancestry.com Operations, Inc., 2012.

110

Name:	Selma Levi, geb. Löwenstein
Geburtsdatum:	7.6.1883 in Elmshorn
Sterbedatum:	1941/1942 Riga
Eltern:	Moses Abraham Löwenstein und Rosa Lippstadt
Ehegatte:	Kaufmann Siegmund Levi
Kinder:	
Wohnort:	Elmshorn, Hamburg
Beruf:	Second Hand Laden
Deportationsdatum 1:	6.12.1941
Deportationsort 1:	Riga
Deportationsdatum 2:	
Deportationsort 2:	
Weiterer Verbleib:	
Stolperstein:	Ja

Selma Löwenstein, geb. 7.6.1883 in Elmshorn als Tochter des Schlachters und Viehhändlers Moses Abraham Löwenstein und seiner Frau Rosa Lippstadt (1), heiratete am 21.12.1919 mit 36 Jahren den Kaufmann Siegmund Levi und lebte in Hamburg. (2) Vermutlich besaß sie einen Second-Hand-Laden. (3) Am 6.12.1941 wurde sie zusammen mit ihrem Bruder Karl nach Riga deportiert und ermordet. (4) Über den Verlauf der Deportation siehe die Ausführungen unter Karl Löwenstein (5).

Stolpersteine für die Geschwister Löwenstein. ©Harald Kirschninck

Anmerkungen:

1)   Kennkarte
2)   Kennkarte
3)   https://books.google.de/books?id=JNJ8dULOZlEC&pg=PA300&lpg=PA
        300&dq=selma+levi+hamburg&source=bl&ots=4LcnAafc9b&sig=K7rUr
        geBr7bquM-
        Id6JUMPCKPzE&hl=de&sa=X&ei=DIURVYLzD8SwUfPOgNAl&ved=0CF8
        Q6AEwCA#v=onepage&q=selma%20levi%20hamburg&f=false
4)   Gedenkbuch Bundesarchiv, a.a.O.
5)   Vgl. S. 130ff

Über Familie Moses Löwenstein siehe:
Kirschninck, Harald: Was können uns die Gräber erzählen, a.a.O., Bd. 1, S. 180ff

Name:	Henriette Lippstadt, geb. Rothgiesser
Geburtsdatum:	8.8.1872 in Hamburg
Sterbedatum:	15.11.1943 Theresienstadt
Eltern:	
Ehegatte:	Julius Lippstadt
Kinder:	Fanny (1903), Ilse (1905), Anna(1908)
Wohnort:	Elmshorn, Hamburg
Beruf:	
Deportationsdatum 1:	16.7.1942
Deportationsort 1:	Theresienstadt
Deportationsdatum 2:	
Deportationsort 2:	
Weiterer Verbleib:	
Stolperstein:	Ja

Henriette Lippstadt wurde am 8.8.1872 als Henriette Rothgiesser in Hamburg geboren. Sie wurde Jettchen genannt. Sie heiratete am 22.5.1902 in Hamburg Julius Lippstadt (1) Das Paar lebte zunächst in der Kaiserstraße 31 (Vormstegen), zog später in die Mühlenstr. 16 und bekam drei Kinder: Fanny (1903), Ilse (1905) und Anna(1908). (2)

Auch von ihr gibt es eine Beschreibung aus ihrem Antrag auf eine Kennkarte: sie war von schwächlicher Gestalt, hatte ein länglichrundes Gesicht mit dunkelbraunen Augen und graue Haare. (3) Henriette stammte aus einer wohlhabenden Familie, denn zu ihrer Hochzeit bekam sie als Aussteuer 20.000 Goldmark. (4)

1942 hatte Elmshorn nur noch vier jüdische Mitbürger. Unter diesen befanden sich Henriette Lippstadt und deren Tochter Anna, verheiratete Lötje. (5) Die Stadt bemühte sich, diese zwei Jüdinnen aus Elmshorn zu vertreiben. Nachdem Frau Lippstadts Ehemann verstorben war, wollte die Witwe zu ihrer Tochter Anna Lötje und deren Familie ziehen. Da deutete die Behörde an, dass im Falle der Aufnahme von Henriette Lippstadt, die Familie Lötje in die Baracken am

Gerlingsweg umziehen müsste. Dieses wollte Frau Lippstadt ihrer Tochter nicht zumuten und entschloss sich gezwungenermaßen, nach Hamburg in ein jüdisches Haus in der Frickestraße 24 zu ziehen. Bei ihrer Abmeldung im Rathaus Elmshorn hatte sie eine Erklärung zu unterschreiben, dass sie Elmshorn nicht mehr betreten würde. Sie durfte ab jetzt noch nicht einmal ihre Tochter besuchen. (6)

Am 15.7.1942 wurde Henriette mit weiteren Bewohnern des Hauses Frickestraße 24 zunächst in die israelitische Mädchenschule an der Rentzelstrasse verlegt (7), um von dort am 16.7. 1942 mit dem Transport VI/1-542 von Hamburg nach Theresienstadt deportiert zu werden.(8) Als sie den Deportationsbefehl erhielt, benachrichtigte sie ihre noch in Elmshorn lebende Tochter Anna Lötje, in dem sie den Kaufmann B. in Elmshorn-Langenmoor anrief, weil sie wusste, dass ihre Tochter dort immer einkaufte. Frau Lippstadt gab diesem durch: „Das Heim geht auf Reisen!" (9)
Anna Lötje erhielt die Nachricht am folgenden Tag und fuhr sofort mit ihrem Mann nach Hamburg in die Frickestraße. Frau Lippstadt hatte laut Deportationsbescheid einen Koffer mit Kleidung und eine Matratze, die aus einem Stück gefertigt sein sollte, mit auf den Transport zu nehmen. An diesem Tage regnete es in Strömen. Die Heimbewohner mussten vor die Haustür treten und im Regen ihre Koffer öffnen, um sie durchsuchen zu lassen. Hierbei wurde auch der Inhalt einiger Koffer auf die Straße geschüttet. Nach der Kontrolle hatten die alten Frauen und Männer offene Lastwagen zu besteigen. Sie fuhren in eine Volksschule in der Nähe der Sternschanze. Abends fuhr Ehepaar Lötje wieder nach Elmshorn zurück. (10)

Am Deportationstag besuchte der Schwiegersohn Henriette erneut, ohne Anna, aber mit zwei Kindern, um ihr beizustehen. Jörg Penning beschreibt die Aussage eines Sohnes auf der Webseite „Spurensuche-Kreis-Pinneberg":

Abb.: Antrag für Ausstellung einer Kennkarte. Vorderseite. Stadtarchiv Elmshorn

115

Von diesem Schulgelände aus
wurden über 1500 jüdische Männer,
Frauen und Kinder am 15. und 19. 7. 1942
nach Theresienstadt (Terézin) deportiert.

Fast alle sind in den Vernichtungslagern
umgebracht worden.

Denkt daran und seid wachsam.

Abb.: Die Bilder zeigen
die Volksschule an der
Sternschanze in Hamburg.
Von hier gingen
die Transporte nach
Theresienstadt.
Fotos: Kirschninck

Abb.: Der Hannöversche Bahnhof diente als Deportationsbahnhof für fast alle Transporte aus Hamburg. Aus: Bauche, a.a.O.

„Ein Sohn erinnerte sich noch sehr lebhaft an den Abtransport: "Das war im Juli zwischen meines Bruders und meinem Geburtstag, genau in der Mitte. Und da sind wir dann hin. Der Vater war vorher schon hin und hat für die Oma ein Bündel zusammengebunden mit Kopfkissen und sowas alles. Und hat das in eine Wolldecke so eingenäht oder so in einem Leinentuch. Ich weiß nur, dass er so eine runde Sacknadel hatte und damit hat er das alles vernäht gehabt. Und jetzt hatten die sich draußen alle versammelt vor dem Stift da. Und da standen dann LKWs und die alten Damen mussten da aufsteigen und das Gepäck wurde durchsucht. Und da hat einer mit so einem Messer oder Bajonette in diesen Beutel reingestochen. Da hat mein Vater sich fürchterlich aufgeregt, was sie den alten Leuten da eigentlich antun, ob sie keinen Anstand haben usw. Und dann haben sie zu ihm gesagt, er soll man ganz ruhig sein und sich da nicht einmischen. Und was er überhaupt wollte. Na, und er sagt dann, das ist die Schwiegermutter und er wollte ihr helfen beim Einsteigen und so. Na, und da hat er irgendwas Freches losgelassen – ich weiß nicht mehr was. Ich weiß nur, dass er am ganzen Körper gezittert hat. Wir haben rechts und links von ihm gestanden und haben seine Hände gehalten. Und ich nehme an, dass das vielleicht auch eine Idee von der Mutter war, dass sie uns mitgeschickt hat, damit wir auf ihn aufpassen. Denn vielleicht hätte er dann mehr gesagt und wäre abtransportiert worden. Denn der Offizier oder wer das war, der hat in einem ganz scharfen Ton gesagt, er solle sich zusammenreißen, sonst geht es in die grüne Minna und er weiß dann ja, wo es hingeht. Ja, dann war er auch ruhig. Wie gesagt, er hat gebebt vor Wut. Na ja, und dann hat er der Oma noch geholfen einzusteigen und so und dann sind wir mit der Bahn zurück."(11)

Am 15.11.1943, genau 16 Monate später, verstarb Henriette mit 71 Jahren in Theresienstadt. (12)

Abb. Kontrolle von persönlichen Sachen von Juden kurz vor der Deportation, November 1941, Turnhalle ehem. Kampstrasse 62 der ehem. Jüdischen Schule in Hamburg; Zeichnung der Augenzeugin Walter. Aus: Stätten jüdischen Lebens und Leidens, a.a.O.

Anmerkungen:

1)   Zivilstandsregister der jüdischen Gemeinde, Kennkarte
2)   Aussage Anna Lötje, geb. Lippstadt
3)   Antrag auf Ausstellung einer Kennkarte, Stadtarchiv Elmshorn
4)   Aussage Anna Lötje, geb. Lippstadt, im Interview mit Kirschninck, 1982
5)   Personendatei Kirschninck
6)   Aussage Anna Lötje, geb. Lippstadt, im Interview mit Kirschninck, 1982
7)   Ebenda
8)   Gedenkbuch Bundesarchiv
9)   Aussage Anna Lötje, geb. Lippstadt, im Interview mit Kirschninck, 1982
10)   Ebenda
11)   Penning, Jörg: Die Familie Lötje – Ausgrenzung einer „privilegierten Mischehe". Zit. n.: http://www.spurensuche-kreis-pinneberg.de/spur/familie-lotje-judenverfolgung/
12)   Ancestry.com. Global, Find A Grave Index for Burials at Sea and other Select Burial Locations, 1300s-Current [database on-line]. Provo, UT, USA: Ancestry.com Operations, Inc., 2012. Original data: Find A Grave. Find A Grave. http://www.findagrave.com/cgi-bin/fg.cgi.

Über die Biografien der Familie Lippstadt siehe Kirschninck, Harald: Was können uns die Gräber erzählen, a.a.O., Bd. 2, S. 44ff

Ilse Lippstadt

Name:	Ilse Lippstadt
Geburtsdatum:	31.12.1905 in Elmshorn
Sterbedatum:	1941/1942 in Minsk
Eltern:	Julius und Henriette Lippstadt
Ehegatte:	ledig
Kinder:	keine
Wohnort:	Elmshorn, Berlin, Theresienstadt, Vineland
Beruf:	Kontoristin, Handelsvertreterin
Deportationsdatum 1:	18.11.1941
Deportationsort 1:	Minsk
Deportationsdatum 2:	
Deportationsort 2:	
Weiterer Verbleib:	
Stolperstein:	Ja

Ilse Lippstadt war die zweite Tochter von Julius und Henriette Lippstadt. Sie wurde am 31.12.1905 in Elmshorn geboren (1), erlernte den Beruf der Buchhalterin und arbeitete als Kontoristin und Handelsvertreterin. (2) Ilse war kurze Zeit Mitglied im „Elmshorner Männerturnverein". Zunächst wohnte Ilse in der Kaiserstrasse 31. (3) Am 30.9.1929 wurde sie arbeitslos, weil der Arbeitgeber, der Schweineversicherungsverein eine billigere Kraft einstellen wollte. (4)

In den dreißiger Jahren ging es ihr finanziell sehr schlecht. Am 29. 9. 1932 verließ sie die "israelitische Religionsgemeinschaft". (5) Dennoch wurde sie noch von der jüdischen Gemeinde unterhalten. Sie kam trotzdem mit dem Geld nicht aus und bat verschiedene Geschäftsleute in Elmshorn und Umgebung um finanzielle Unterstützung in Form von Krediten. Dieses missfiel der jüdischen Gemeinde, die 1935 versuchte, möglichst unauffällig die schweren Jahre zu überstehen. Sie baten in einem Brief vom 16.2.1935 den Vater von Ilse, Julius Lippstadt, um Einflussnahme auf seine Tochter. (6)

120120

```
                    Z e u g n i s .
            ==-=-=-=-=-=-=-=-=-=

        Die Inhaberin dieses,Frl.J. L i p p s t a d t ,aus Elmshrn
ist seit Gründung unseres Vereins,Frühjahr 1924,bei uns alsbuch-
halterin und Kontoristin tätig gewesen. Wir haben sie in dser £s
Zeit als eine fleißige,gewandte und tüchtige Gehilfin kenne ge =
lernt,die viel selbstständig gearbeitet hat.

        Frl.L i p p s t a d t verläßt uns,weil wir eine billiere
Kraft einstellen wollen.
                    30
Elmshorn,den 6.September 1929

                    Schweineversicherungsverein
                    für Elmshorn u.Umgebung
                    von 1924.
                        Der Vorstand.
```

Arbeitszeugnis für Ilse Lippstadt vom Schweineversicherungsvereins für Elmshorn und Umgebung von 1924. In: Rechnungsbuch der jüdischen Gemeinde Elmshorn. Stadtarchiv Elmshorn.

Ilse versuchte sich 1935 in Elmshorn als Handelsvertreterin in der Friedensallee 11 durchzuschlagen (7), was wohl nicht sehr erfolgreich war, denn sie zog am 10.1.1936 nach Hamburg in die Gerhofstraße 44. (8) Zunächst war sie in Hamburg ebenfalls alleinstehend und mittellos. Sie meldete sich am 8.1.1936 bei der deutsch-israelitischen Gemeinde in Hamburg an. Die Hamburger Jüdische Gemeinde versuchte, Ilse in Arbeit zu bringen (9):

„Bei "freier Station" und 43,25 RM Lohn im Monat wurde Ilse als Haushaltshilfe an die Familie Guggenheim in die Hallerstraße (bald umbenannt in Ostmarkstraße) 83 I vermittelt. Ihr Monatseinkommen in Elmshorn, wo sie als Sekretärin angestellt gewesen war, hatte 130 RM betragen. In den folgenden drei Jahren fand sie dann Unterschlupf in der nahen Rothenbaumchaussee 73 und in der nur wenig entfernten Oderfelder Straße 42 III bei Familie Eckert. Dann ging es an die Außenalster in die Alte Rabenstraße 9 I, wo sie für kurze Zeit mit ihrer Schwester Fanny und mit Anna Rosenbaum zusammenwohnte …

Es wurde uns von verschiedenen Seiten die Mitteilung gemacht,
dass Ihre Tochter, Frl. Ilse Lippstadt, bei den hiesigen
Fabrikanten, sowie Privatleuten und auch in Hamburg herumgeht,
um sich Gelder zu leihen. Zum grossen Teil verlangt Ihre Tochter
grössere Summen. Da wir annehmen, dass Ihnen hiervon nichts
bekannt ist, solches andererseits aber dem Ansehen der hiesigen
Juden schadet, bitten wir Sie, bei Ihrer Tochter darauf hinzu-
wirken, dass dieses unterbleibt, da wir uns andererseits genötigt
sehen, unsere monatlichen Zahlungen an Sie einzustellen.

                    Der Vorstand der israelitischen Gemeinde

Herrn
        Julius Lippstadt,
                H i e r .

Abb.: Brief der israelitischen Gemeinde von Elmshorn an Julius Lippstadt. In: Rechnungsbücher. Stadtarchiv Elmshorn.

Auch bei Ilse Lippstadt konkretisierte sich ein Plan, nach England auszuwandern. Im August überstand ihr auf rund 700 RM taxiertes Umzugsgut sogar die Prüfung der Behörden. Sie gaben es allerdings erst unmittelbar vor Ausbruch des Krieges frei und ließen so die Ausreise scheitern.
In dieser verzweifelten Lage erreichte Ilse die Nachricht vom Tod ihres 69-jährigen Vaters in Elmshorn. Mutter Jettchen zog bald in die Nähe ihrer Tochter nach Hamburg. Sie wurde in das "Judenhaus" Frickestraße 24 eingewiesen. Als Ilse dann im August eine neue Wohnung bei der Witwe Gertrud Theiner, geborene Bauer (68 Jahre), und deren Schwester, der Lehrerin Helene Elsa Bauer (65), zugewiesen bekam, trug Ilse die Verantwortung für drei alte Frauen. Ihre Mutter musste sie sogar von ihrem kargen Lohn unterstützen." (10)

Am 18.11.1941 wurde Ilse Lippstadt nach Minsk deportiert. (11)

Mit den zwei Transporten vom 8.11.1941 und 18.11.1941 wurden 1420 Juden aus Hamburg (darunter auch acht Elmshorner) nach Minsk deportiert. Dort hatte man von dem ursprünglichen Ghetto ein abgetrenntes „Sonderghetto" eingerichtet, in dem die Juden aus Deutschland untergebracht wurden. Innerhalb des „Sonderghettos" wurden noch einmal, je nach geographischer Herkunft der Deportierten, drei Gruppen unterschieden. (12)

Vor Ankunft der Deportationszüge wurden vom 7.-11.11.1941 etwa 6.000 weißrussische Juden im Wald von Blagowschtschina, 13 km südöstlich von Minsk, erschossen. Seit Mai 1942 waren die ausgehobenen 3 m breiten und tiefen, 50 m langen Massengräber im Wald die zentrale Mord- und Hinrichtungsstätte der deutschen Besatzer. Das größte Pogrom im Ghetto fand vom 28.-30.7.1942 statt, dem etwa 30.000 Juden zum Opfer fielen. Die Vorgehensweise war immer die gleiche: Kommandos trieben die Menschen aus ihren Unterkünften zusammen. Dann wurden sie in Gruppen mit Lastwagen zu der Exekutionsstätte, in diesem Falle der Wald von Blagowschtschina oder Maly Trostenez transportiert. Hier hatten sich die Opfer vollkommen zu entkleiden, dann wurden sie zu der Grube getrieben. Je nach Länge des Massengrabes waren bis zu zwanzig Mann mit Pistolen an der Grube postiert, unterstützt von Mannschaften, die das Gelände umstellten und absicherten. Es wurden immer Pistolen benutzt. In der Regel bekam jeder der zwanzig Männer 25 Schuss bis zur nächsten Gruppe von Opfern. Die Juden wurden mit einem Genickschuss getötet und fielen in die Grube. Wenn der Verdacht aufkam, dass der Schuss nicht tödlich war, wurde erneut geschossen. Abschließend wurde mit einem Maschinengewehr so lange in die Grube geschossen, bis sich nichts mehr regte. Darüber hinaus wurde nicht mehr untersucht, ob alle gestorben waren. Es kam die nächste Gruppe an die Grube oder sie wurde zugeschüttet. (13)

„Direkt vor der Massenerschießung hatten sich alle zu entkleiden und ihre Kleidung auf einen Haufen zu werfen. Zwei junge Frauen beobachteten eine ältere verwirrte Frau, die aufgeregt herumlief, keinen Versuch machte, sich zu entkleiden. Darauf gingen die zwei Frauen zu ihr, überredeten und entkleideten sie. Dann, ohne ein Wort des Protestes, nahmen die beiden jungen Frauen die ältere Frau zwischen sich, jede hielt sie an einer Hand, und legten sich auf die noch warmen Körper der soeben Erschossenen, um ihren Tod zu erwarten. Weder sie noch andere baten die Mörder um Gnade." (14)

Neben den Massenerschießungen kamen auch drei Gaswagen zum Einsatz, große geschlossene Lastwagen, in die man Autoabgase einleitete, so dass die Menschen qualvoll starben (15). Seit dem Pogrom befanden sich noch 9.000 Juden im Ghetto. Der größte Teil von ihnen wurde bei der Auflösung am 21.10.1943 ermordet. Im Oktober 1943 wurden die 34 Massengräber wieder geöffnet und die 150.000 Leichen verbrannt, um Spuren zu beseitigen. Nach Auflösung des Lagers und den Todesmärschen waren nur noch 20 Juden aus Minsk am Leben. (16)

Ilses Schwester Anna Lötje erfuhr nach dem Krieg von einem Elmshorner Augenzeugen, Herrn Schumacher vom Sandberg, der als Soldat in Rußland war, dass ihre Schwester in der Nähe von Minsk in einer Kolonne mit anderen Juden marschiert sei. Diese Kolonne begegnete einigen deutschen Soldaten. Ilse Lippstadt erkannte unter ihnen einige Elmshorner wieder, mit denen sie früher im „Holsteinischen Hof" ausgegangen war. Sie habe ihnen zugerufen: „Hallo, Elmshorn!" Daraufhin sei sie beiseite geführt und auf „freiem Feld" erschossen worden. (17) Im Jahre 1947 wird Ilse von ihrem Onkel Martin und Else Lippstadt aus Argentinien gesucht. (18)

HIER WOHNTE
ILSE
LIPPSTADT
JG. 1905
DEPORTIERT 1941

https://commons.wikimedia.org/wiki/File:Stolperstein_Curschmannstra%C3%9Fe_8_(Ilse_Lippstadt)_in_Hamburg-Eppendorf.JPG. Foto: Hinnerk11, Lizenz: Creative Commons by-sa-3.0 de

Anmerkungen:

1)   Kennkarte
2)   Einwohnerverzeichnis Elmshorn 1935. Aussage Anna Lötje, geb. Lippstadt, im Interview mit Kirschninck, 1982. Arbeitszeugnis für Ilse Lippstadt vom Schweineversicherungsvereins für Elmshorn und Umgebung von 1924. In: Rechnungsbuch der jüdischen Gemeinde Elmshorn. Stadtarchiv Elmshorn.
3)   Adressbuch der Stadt Elmshorn. Personendatei Kirschninck
4)   Arbeitszeugnis für Ilse Lippstadt vom Schweineversicherungsvereins für Elmshorn und Umgebung von 1924. In: Rechnungsbuch der jüdischen Gemeinde Elmshorn. Stadtarchiv Elmshorn.

5) Rauchenberger, Dietrich: Stolperstein Ilse Lippstadt, Curschmann-Strasse 8, nach: http://www.stolpersteine-ham-burg.de/?&MAIN_ID=7&r_name=lippstadt&r_strasse=&r_bezirk=&r_stteil=&r_sort=Nachname_AUF&recherche=recherche&submitter=suchen&BIO_ID=968

6) Brief der israelitischen Gemeinde von Elmshorn an Julius Lippstadt. In: Rechnungsbücher. Stadtarchiv Elmshorn.

7) Einwohnerverzeichnis 1935

8) Rauchenberger, Dietrich: Stolperstein Ilse Lippstadt, Curschmann-Strasse 8, nach: http://www.stolpersteine-ham-burg.de/?&MAIN_ID=7&r_name=lippstadt&r_strasse=&r_bezirk=&r_stteil=&r_sort=Nachname_AUF&recherche=recherche&submitter=suchen&BIO_ID=968

9) Ebenda

10) Ebenda

11) Gedenkbuch Bundesarchiv. Memorbuch zum Gedenken an die jüdischen, in der Schoa umgekommenen Schleswig-Holsteiner und Schleswig-Holsteinerinnen.

12) Zitiert und übersetzt nach: Wilhelm Mosel: Hamburg Deportation Transport to Minsk, a.a.O.

13) Ebenda

14) Karl Löwenstein, Minsk im Lager der deutschen Juden. Löwenstein stammt aus Berlin und überlebte die Auflösung des Lagers und die Todesmärsche.

15) Zitiert und übersetzt nach: Wilhelm Mosel: Hamburg Deportation Transport to Minsk, a.a.O.

16) Ebenda

17) Aussage Anna Lötje, geb. Lippstadt, im Interview mit Kirschninck, 1982.

18) Posner, a.a.O. S. 48

Über die Biografien der Familie Lippstadt siehe Kirschninck, Harald: Was können uns die Gräber erzählen, a.a.O., Bd. 2, S. 44ff

Name:	John Löwenstein
Geburtsdatum:	23.10.1886 in Elmshorn
Sterbedatum:	1941 Minsk
Eltern:	Moses Abraham Löwenstein und Rosa Lippstadt
Ehegatte:	
Kinder:	
Wohnort:	Elmshorn
Beruf:	Schlachter
Inhaftierung Pogrom 1938:	Nein
Deportationsdatum 1:	8.11.1941
Deportationsort 1:	Minsk
Deportationsdatum 2:	
Deportationsort 2:	
Weiterer Verbleib:	
Stolperstein:	Ja

John Löwenstein, geb. am 23.10.1886 in Elmshorn (1), war wie sein Bruder Karl Teilnehmer am I. Weltkrieg. (2) Er wohnte vor seiner Deportation nach Minsk in Hamburg im Grindelhof 9. (3)

Mit den zwei Transporten vom 8.11.1941 und 18.11.1941 wurden 1420 Juden aus Hamburg (darunter auch acht Elmshorner) nach Minsk deportiert. Dort hat man von dem ursprünglichen Ghetto ein abgetrenntes „Sonderghetto" eingerichtet, in dem die Juden aus Deutschland untergebracht wurden. Innerhalb des „Sonderghettos" wurden noch einmal je nach geographischer Herkunft der Deportierten drei Gruppen unterschieden. Vor Ankunft der Deportationszüge wurden vom 7.-11.November 1941 etwa 6000 weißrussische Juden im Wald von Blagowschtschina, 13 km südöstlich von Minsk, erschossen. Seit Mai 1942 waren die ausgehobenen 3 m breiten und tiefen, 50m langen Massengräber im Wald die zentrale Mord- und Hinrichtungsstätte der deutschen Besatzer. Das größte Pogrom im Ghetto fand vom 28.-30. Juli 1942 statt, dem etwa 30.000 Juden zum Opfer fielen. Die Vorgehensweise war immer die gleiche:

Kommandos trieben die Menschen aus ihren Unterkünften zusammen. Dann wurden sie in Gruppen mit Lastwagen zu der Exekutionsstätte, in diesem Falle der Wald von Blagowschtschina oder Maly Trostenez transportiert. Hier hatten sich die Opfer vollkommen zu entkleiden, dann wurden sie zu der Grube getrieben. Je nach Länge des Massengrabes waren bis zu zwanzig Mann mit Pistolen an der Grube postiert, unterstützt von Mannschaften, die das Gelände umstellten und absicherten. Es wurden immer Pistolen benutzt. In der Regel bekam jeder der zwanzig Männer 25 Schuss bis zur nächsten Gruppe von Opfern. Die Juden wurden mit einem Genickschuss getötet und fielen in die Grube. Wenn der Verdacht aufkam, dass der Schuss nicht tödlich war, wurde erneut geschossen. Abschließend wurde mit einem Maschinengewehr so lange in die Grube geschossen, bis sich nichts mehr regte. Darüber hinaus wurde nicht mehr untersucht, ob alle gestorben waren. Es kam die nächste Gruppe an die Grube oder sie wurde zugeschüttet (4)

„Direkt vor der Massenerschießung hatten sich alle zu entkleiden und ihre Kleidung auf einen Haufen zu werfen. Zwei junge Frauen beobachteten eine ältere verwirrte Frau, die aufgeregt herumlief, keinen Versuch machte, sich zu entkleiden. Darauf gingen die zwei Frauen zu ihr, überredeten und entkleideten sie. Dann, ohne ein Wort des Protestes, nahmen die beiden jungen Frauen die ältere Frau zwischen sich, jede hielt sie an einer Hand, und legten sich auf die noch warmen Körper der soeben Erschossenen, um ihren Tod zu erwarten. Weder sie noch andere baten die Mörder um Gnade." (5)

Neben den Massenerschießungen kamen auch drei Gaswagen zum Einsatz, große geschlossene Lastwagen, in die man Autoabgase einleitete, so dass die Menschen qualvoll starben. (6)

Seit dem Pogrom befanden sich noch 9000 Juden im Ghetto. Der größte Teil von ihnen wurde bei der Auflösung am 21.10.1943 ermordet. Im Oktober 1943 wurden die 34 Massengräber wieder geöffnet und die 150.000 Leichen verbrannt, um Spuren zu beseitigen. Nach Auflösung des Lagers und den Todesmärschen waren nur noch 20 Juden aus Minsk am Leben. (7)

Für die Ermordeten Kinder von Moses Löwenstein, Karl, Selma und John wurden in Elmshorn vor der Peterstr. 29 Stolpersteine verlegt. (8)

Stolpersteine für die Geschwister Löwenstein. ©Harald Kirschninck

Anmerkungen:

1)   Kennkarte
2)   Personendatei Kirschninck
3)   http://www.stolpersteine-hamburg.de
4)   zitiert und übersetzt nach: Mosel: Hamburg Deportation Transport to Minsk
5)   Karl Löwenstein, Minsk im Lager der deutschen Juden. Löwenstein stammt aus Berlin und überlebte die Auflösung des Lagers und die Todesmärsche
6)   zitiert und übersetzt nach: Wilhelm Mosel: Hamburg Deportation Transport to Minsk
7)   Ebenda
8)   Personendatei Kirschninck
      Gegen das Vergessen. Stolpersteine in Elmshorn. Eine Kunstaktion von Gunter Demnig mit der Arbeitsgemeinschaft Stolpersteine für Elmshorn. Broschüre. Elmshorn 2008.

      Über die Biografien der Familie Löwenstein siehe Kirschninck, Harald: Was können uns die Gräber erzählen, a.a.O., Bd. 1, S. 180ff

Name:	Karl Löwenstein
Geburtsdatum:	17.8.1880 in Elmshorn
Sterbedatum:	1941/42 in Riga
Eltern:	Moses Abraham Löwenstein und Rosa Lippstadt
Ehegatte:	
Kinder:	
Wohnort:	Elmshorn
Beruf:	
Inhaftierung Pogrom 1938:	Nein
Deportationsdatum 1:	6.12.1941
Deportationsort 1:	Riga
Deportationsdatum 2:	
Deportationsort 2:	
Weiterer Verbleib:	
Stolperstein:	Ja

Der älteste Sohn von Moses Abraham Löwenstein und Rosa Lippstadt, Karl Löwenstein, geboren am 17.8.1880 in Elmshorn, war krank, pflegebedürftig und lebte im Pflegeheim Sandberg 102. Er war Schlachter von Beruf. Im Antrag für eine Kennkarte, die vom gesetzlichen Vormund unterschrieben wurde, gibt es folgende Beschreibung: starke Gestalt, rundes Gesicht, blaue Augen, graugemischte Haare. (1) Sein Pflegevater wollte ihn gern behalten, doch die Gestapo holte ihn ab. (2) Er wurde zunächst am 4.12.1941 der Geheimen Staatspolizei (Gestapo) Kiel übergeben. Schon drei Wochen vor dem Transport verschickte die Gestapo Vermögenserklärungen, die die Juden auszufüllen hatten. (3)

Penibel listete die Kieler Gestapo auf, was die Elmshorner Karl Löwenstein und Albert Hirsch zur Deportation mitbringen durften. Das Bahnticket für die Anreise zur Deportation hatten die Todeskandidaten selbst zu bezahlen. Damit man auch alles erfassen konnte, bat man darum "gut leserlich auszufüllen, wenn möglich mit Schreibmaschine".

Mitnehmen durften die Ausgeplünderten:

"1. Ein Koffer mit Ausrüstungsstücken im Gewicht bis zu 50 kg.
 2. Vollständige Bekleidung, möglichst festes Schuhwerk.
 3. Bettzeug mit Decke.
 4. Verpflegung für 14 Tg. bis 3 Wochen.
 5. Bargeld bis zu RM 50,-."

Was mit dem übrigen Vermögen geschah, wurde in dem Schreiben ebenfalls klargestellt: "Das Vermögen der für die Evakuierung vorgesehenen Juden ist rückwirkend ab 15.10.41 beschlagnahmt." (4)

Karl und seine Schwester Selma Löwenstein verschleppte man mit dem Transport am 6.12.1941 nach Riga ins KZ Jungfernhof. Am 6. Dezember 1941 verließ ein Deportationszug um 0:11 Uhr den Hannoverschen Bahnhof in Hamburg. Im Zug waren 753 Juden, darunter drei Personen aus Elmshorn und der Oberrabbiner Joseph Carlebach mit seiner Familie aus Hamburg. Nach Erhalt der Deportationsbescheide verübten 13 Juden Selbstmord, darunter auch Albert Hirsch. Das Ziel des Zuges war Riga in Litauen, das er am 9.12.1941 erreichte. Die Opfer dieses Transportes wurden in das Konzentrationslager Jungfernhof, drei Kilometer südlich des Bahnhofes, getrieben, bei Temperaturen unter -40 Grad.

Sofern die Elmshorner nicht gleich bei der Ankunft erschossen wurden oder im Lager an Hunger oder Krankheiten und Misshandlungen starben, sind sie wahrscheinlich bei der „Aktion Dünamünde" am 26.3.1942 ermordet worden, wo der Hauptteil des Hamburger Transportes getötet worden ist. Ein Überlebender aus Hamburg berichtete:

"Lager-Kommandant Seck befahl dem Lagerältesten Kleemann, er solle eine Liste der auszusondernden Juden erstellen. Seck selbst benannte 440 Juden, die in Jungfernhof bleiben sollten. Dieses waren gesunde, starke Leute, die man gut in der Landwirtschaft einsetzen konnte und Juden, die spezielle Fähigkeiten und Berufe aufweisen konnten. Ausgesondert wurden:

Abschrift.

Geheime Staatspolizei.   Kiel,den 15.Nov.1941.
Staatspolizeileitstelle Kiel.
B.Nr.II B 5 -5350/41.

Abschrift.

An den
Herrn Landrat
in Pinneberg.

Betr.: Evakuierung von Juden.
Vorg.: Meine Rdvf.Nr.1 II B 5 - 535/41 v.25.10.41.
Anl. : 2

Als Anlagen übersende ich 2 Vordrucke über Vermögenserklärung
für Juden mit der Bitte, sie den für die Evakuierung vorgesehenen Juden Albert Israel Hirsch und Karl Israel Löwenstein
in Elmshorn mit der Anweisung auszuhändigen, sie xxtxixxxim
umgehend gewissenhaft und gut leserlich auszufüllen, wenn
möglich mit Schreibmaschine. Sachen, die mitgenommen werden,
sind nicht einzutragen. Für die Mitnahme sind je Person zugelassen:
1. Ein Koffer mit Ausrüstungsstücken im Gewicht bis zu 50 kg.
2. Vollständige Bekleidung, möglichst festes Schuhwerk.
3. Bettzeug mit Decke.
4. Verpflegung für 14 Tg.bis 3 Wochen.
5. Bargeld bis zu RM 50,-.

Von der Mitnahme sind ausgeschlossen Wertpapiere, Devisen,
Sparkassenbücher, Wertsachen jeder Art mit Ausnahme des Eheringes, lebendes Inventar. Das Vermögen der für die Evakuierung
vorgesehen Juden ist rückwirkend ab 15.10.41 beschlagnahmt.

Den für die Mitnahme vorgesehenen Barbetrag von RM 50,- bitte
ich, falls vorhanden, einzuziehen und zusammen mit den ausge-
füllten Vordrucken bis zum 20.11.41 nach hier einzusenden.
Den Termin des Abtransportes werde ich noch bekannt geben.
Vorsorglich bitte ich, den Betrag für die Eisenbahnfahrt vom
Wohnort der Betroffenen bis nach Kiel von deren Vermögen sicher
zu stellen.

                    I.A.   Beglaubigt:
               gez.Barnekow.   gez.Wiese,
                                       Kanzleiangestellt.

F.d.R.d.A.

(Peters)
Pol. 7394-

- Alte und Kranke

- Kinder bis 14 Jahren mit ihren

- Müttern

- Juden über 46-50 Jahren, die nicht voll arbeiten konnten.

Insgesamt waren es 3000 Leute. Ihnen wurde erzählt, sie würden nach Dünamünde gebracht, wo sie bessere Lebensbedingungen und leichtere Arbeit in einer Konservenfabrik erhalten sollten. Am 26.März 1942 wurden diese mit Bussen und Lastkraftwagen abtransportiert. Das gesamte Gepäck sollten sie zurücklassen. Es war ein Shuttle-System eingerichtet worden, bis alle weggefahren worden sind. Die Busse und Lkw kamen immer nach 15 bis 20 Minuten leer zurück. Die Opfer wurden in den Wald von Bikerneiki in der Nähe von Riga gefahren, wo Arbeitskommandos große Gruben ausgehoben hatten. Dort wurden alle erschossen. Hier kam auch Oberrabbiner Carlebach ums Leben.

Eine Einwohnerin berichtete:

„Mein Haus ist ungefähr 1 bis 1,5 km vom Wald entfernt. Ich konnte daher sehen, wie die Leute in den Wald gebracht wurden und konnte hören, wie man sie erschoss. (…) Es war am Karfreitag und Ostersonnabend 1942. Die Leute wurden mit Bussen und grauen Fahrzeugen gebracht (…) Allein am Freitag zählte ich 41 Busse bis 12. (…) Tag und Nacht hörten ich und andere Einwohner die Schüsse von Gewehren und automatischen Waffen. (…) Am Ostersonntag war alles ruhig.(…) Wie viele andere gingen ich und meine Familie in den Wald. (…) Unter den vielen Gräbern sahen wir ein offenes Grab mit erschossenen Leichen. Die Körper lagen durcheinander, nur leicht angezogen oder in Unterwäsche. Es waren Körper von Frauen und Kindern. Die Körper zeigten Anzeichen von brutalen Misshandlungen und Quälereien, bevor sie erschossen wurden. Viele hatten Schnitte im Gesicht, Schwellungen an den Köpfen, einige mit abgetrennten Händen, ihre Augen herausgerissen oder ihre Bäuche aufgeschlitzt. Neben dem Grab waren Blutlachen, Haare, abgetrennte Finger, Gehirne, Knochen, Schuhe von Kindern und andere persönliche Gegenstände... Ausländische Juden wurden also erschossen. Man konnte es an den verschiedenen zurückgelassenen Sachen erkennen. Neben beinahe jedem Grab waren Rückstände eines Feuers. An den Feuerstellen und neben den Gräbern lagen verschiedene Dokumente, Fotografien und Ausweise. Aus diesen konnte man die Herkunft der Leute erkennen... Ich sah, dass sie aus Österreich, Ungarn, Deutschland und anderen Ländern kamen... Vor ihrer Flucht beseitigten die Faschisten alle Spuren. Im Sommer des gleichen Jahres öffneten sie die Gräber im Bikernieki-Wald, exhumierten die Körper und verbrannten sie." (5)

Das KZ Jungfernhof bestand als Judenlager bis Sommer 1942. Die meisten Arbeitskräfte wurden dann in das Ghetto von Riga gebracht, das am 2. November 1943 aufgelöst wurde. Ungefähr 20.000 Juden sind nach Riga deportiert worden. Im Herbst 1944 waren nur noch 30 Juden vom Hamburger Transport am Leben. Diese wurden auf die Todesmärsche Richtung Deutschland geschickt. (6)

Karl Löwenstein, Gedenktafel Synagoge, ©Privatarchiv Kirschninck

Anmerkungen:

1)   Antrag auf Ausstellung einer Kennkarte, Stadtarchiv Elmshorn
2)   Brief Meissner an Frau Baum v. 22.6.1965
3)   Bundesarchiv Koblenz, Z 42 III/3214
4)   Ebenda
5)   zit. u. übersetzt nach: Wilhelm Mosel: Hamburg Deportation Transport to Riga.
6)   vgl. Prof. Dr. Wolfgang Scheffler: Zur Geschichte der Deportation jüdischer Bürger nach Riga 1941/1942. Vortrag anlässlich der Veranstaltung des Volksbundes Deutsche Kriegsgräberfürsorge e. V. am 23. Mai 2000 zur Gründung des Riga-Komitees im Luise-Schröder-Saal des Berliner Rathauses

Über die Biografien der Familie Löwenstein siehe Kirschninck, Harald: Was können uns die Gräber erzählen, a.a.O., Bd. 1, S. 180ff

Olga Marx, geb. Sternberg

Name:	Olga Marx, geb. Sternberg
Geburtsdatum:	11.9.1886 in Elmshorn
Sterbedatum:	1942 in Theresienstadt
Eltern:	Adolph und Mary Sternberg
Ehegatte:	Herr Marx
Kinder:	
Wohnort:	Elmshorn, Mainz
Beruf:	Buchhalterin
Deportationsdatum 1:	27.9.1942
Deportationsort 1:	Theresienstadt
Stolperstein:	Nein

Olga Sternberg war das fünfte Kind von Adolph und Mary Sternberg. Sie wurde am 11.9.1886 in Elmshorn geboren und wohnte in der Schulstrasse 49. (1) Sie war von Beruf kaufmännische Angestellte und arbeitete als Buchhalterin bei der Lederfabrik Wilhelm Knecht in Elmshorn. (2) Am 6.2.1937 zog sie nach Mainz in die Marktstrasse 5. (3) Sie war verheiratet mit Herrn Marx. (4) Am 27.9.1942 wurde sie mit dem Transport XVII/1 Zug Da 520 von Darmstadt nach Theresienstadt deportiert. Dort ermordete man sie mit 58 Jahren. (5) Weitere biografischen Daten fehlen.

Anmerkungen:

1) Kennkarte, Personendatei Kirschninck
2) Zeugengespräch mit Frau Andresen und Christian Rostock
3) Einwohnermeldeamt Elmshorn
4) Kennkarte
5) Gedenkbuch Bundesarchiv und http://www.holocaust.cz/databaze-obeti/obet/23985-olga-marx/

Über die Biografien der Familie Sternberg siehe Kirschninck, Harald: Was können uns die Gräber erzählen, a.a.O., Bd. 2, S. 9ff

Name:	Bertha Meyers, geb. Meyer
Geburtsdatum:	27.8.1894 in Elmshorn
Sterbedatum:	1941/1942 Riga
Eltern:	Max Meyer und Betty Wulff
Ehegatte:	Kaufmann Leopold Meyer
Kinder:	Edith (1921), Hans Werner, Max
Wohnort:	Elmshorn, Stadtlohn
Beruf:	
Deportationsdatum 1:	10.12.1941
Deportationsort 1:	Riga
Deportationsdatum 2:	
Deportationsort 2:	
Weiterer Verbleib:	
Stolperstein:	Ja, in Stadtlohn

Bertha Meyer, geb. am 27.8.1894 in Elmshorn, war das dritte Kind von Max Meyer und Betty Wulff. Sie heiratete am 24.8.1919 in Elmshorn den Schneider und Kaufmann Leopold Meyer. (1) Bertha folgte danach ihrem Ehemann ins Münsterland. Fast auf den Tag genau zwei Jahre später wurde ihr erstes Kind geboren: Tochter Edith am 28. August 1921 in Stadtlohn.

Über die Zeit bis Herbst 1938 berichtete Tochter Edith selbst Jahrzehnte später (1989) folgendes nach Stadtlohn:
„Durch die Fürsorge meiner Eltern musste ich am 25. Oktober 1938 von meinen Eltern, Großeltern und Brüdern Abschied nehmen und musste meine Heimat Stadtlohn verlassen. Dank dieser Fürsorge bin ich mit meinem Leben davongekommen. Später ist meine ganze Familie in KZ transportiert worden. Nur mein Bruder Max Meyers hat das überlebt. Deswegen kann ich nur Auskunft geben bis zum 25. Oktober 1938.

Meijer und Schorsina Meijers, Emma Hertzberg geb. Meyer, Baby Gerald, Leopold und
Bertha Meyers, geb. Meyer. Bild aus: Höting, Ingeborg: Familie Meijers/Meyers in
Stadtlohn (Stand: 4.12.2012) anlässlich der Stolpersteinverlegung am 10. Dezember
2012, Titelseite

Seit 1936, als die Verfolgung der Juden anfing, war es besonders in einer Kleinstadt wie Stadtlohn sehr auffällig. Ich erinnere noch sehr, dass unsere Freunde
aus langen Jahren über Nacht unsere Feinde wurden. Meine Eltern hatten ein
kleines Geschäft. Mein Vater war ein Schneidermeister und hat im ersten Weltkrieg für sein ‚Vaterland' gekämpft und kam als Kriegsverwundeter, dekoriert
mit dem Eisernen Kreuz, wieder.
Vom ersten Tage des ‚Boykotts' kam keiner mehr ins Geschäft. Ich kann noch
sehr klar sehen, wo einer von unseren Bekannten sich in SA-Uniform mit einem
Gewehr bewaffnet vor der Tür aufgestellt hat, damit keiner Eintritt haben sollte.
Hätte es nicht Frau Tombrink und Verwandte von uns gegeben, die in einer grö-
ßeren Stadt wohnten, hätten wir schon verhungern können.
Meinem Großvater, der damals Pferd und Wagen hatte, ist es auch mal gelun-
gen, in der Umgebung mit einigen der Bauern zu handeln und als Bezahlung Lebensmittel zu bekommen. Später sind meine hochbetagten Großeltern nach
Holland gezogen, um sich gegen Verfolgung sicher zu stellen. Nachdem Holland
durch die deutsche Wehrmacht besetzt war, sind auch sie abtransportiert worden.

Der Großvater wurde nach Polen verschickt, wo er umgekommen ist und Großmutter ist in einem Lager, in Vught/Holland, verstorben.

Ich ging zur Schule in der Dufkampstraße. Mein letztes Schuljahr werde ich nie vergessen. Ich war das einzige jüdische Mädchen in der Klasse. Unsere Lehrerin war eine Nazi. Sie hat die ganze Klasse vor mir aufgestellt, während ich sitzen musste. Dann haben sie angefangen, antisemitische Lieder zu singen, z. B. ‚Hängt die Juden' usw. Wonach ich nicht mehr zur Schule zurückwollte, bis die Lehrerin sich auf Befehl entschuldigt hat.

Weitere [Ihrer] Fragen werde ich im Folgenden beantworten.

Vor dem Boykott war das Leben normal. Wir haben uns gut mit jedermann verstanden und die Schneiderstube meines Vaters war oft ein Treffpunkt für die Nachbarn. Der Schneidermeister Meyers gab manchen Kredit auf ihre Anzüge. Persönlich erinnere ich mich daran, dass wir mit Nachbarkindern gespielt haben und die Nonnen vom Kloster mir auch sehr bekannt waren und vice versa.

Nach dem Anfang des Boykotts war das alles vorbei und wurde alles ‚Für Juden verboten'. Der Jude war von allen öffentlichen Tätigkeiten abgeriegelt, kein Schwimmen, kein Sport, Theater, Kaffeehaus usw. usw.

Als Resultat hatte die jüdische Jugend selbstverständlich einen besonderen Kontakt untereinander. Deswegen war auch das Verhältnis zwischen jüdischer und nicht-jüdischer Jugend schlecht. Da waren keine nachbarschaftlichen Beziehungen, mit Ausnahme von Frau Tombrink, die ohne Rücksicht auf eigene Wohlhabenheit und Sicherheit uns damals geholfen hat.

Weil vor 1933 Freundschaften zwischen Juden und Nicht-Juden und die [gemeinsame] Angehörigkeit zu einer Gruppe oder einem Verein existierte, kam das alles zu einem Ende, als der Boykott anfing.

Das Leben für ein jüdisches Kind in der öffentlichen Schule vor 1933 war normal. Nach dem war es zu Anfang schlecht und später unmöglich.

Über den Vorläufer Ihrer Schule [der städtischen Realschule] kann ich keine Angaben machen.

Ich musste die öffentliche Schule 1936 verlassen und bekam danach keinen Unterricht mehr, bis ich Deutschland verließ. Meine ehemaligen Mitschüler gingen zu mir auf Distanz.

Nachbarschaftliche Beziehungen in dieser Zeit, mit Ausnahme der vorgenannten Person [Elisabeth Tombrink], waren schlecht. Selbstverständlich wirkte sich der Boykott auf das Familienleben aus. Probleme mit den NS-Organisationen gab es, wenn man als Jude oder jüdisches Kind irgendwie durch Bedürftigkeit oder Zufall auf sich aufmerksam gemacht hat.

Meine Familie hat damals keine Ahnung gehabt, in welcher Gefahr wir schwebten. Insbesondere mein Vater sagte immer: ‚Wir sind Deutsche.‘ Er hat nie geglaubt, dass er als alter Soldat mit dem Eisernen Kreuz etwas zu befürchten hatte. Persönlich habe ich auch keine Ahnung gehabt, in welcher Gefahr wir uns befanden.

Meine Eltern hatten sich damals entschlossen, mich nach Australien zu schicken, weil meine Tante und mein Onkel schon dort lebten und für mich sorgen würden. Und so kam ich als siebzehnjähriges Mädchen mit Hilfe einer jüdischen Organisation in Australien an.

Im Jahre 1939 erhielt ich das letzte Lebenszeichen von meiner Mutter. Sie schrieb, Vater ist ‚verreist‘. Seitdem habe ich nichts mehr von meiner Familie gehört. Ich habe mich damals bei der australischen Behörde bemüht, meine Familie aus Deutschland nach Australien kommen zu lassen. Es wurde mir keine Hoffnung gemacht, weil ein Krieg zu erwarten war.

Obwohl ich öfter durch das Rote Kreuz versucht habe, meinen Eltern zu schreiben, habe ich nur nach dem Krieg erfahren, dass meine ganze Familie umgekommen ist. Nur mein jüngster Bruder hat den Holocaust überlebt.“ (2)

Ihr Bruder Max gab 2012 die Auskunft: „When my sister came to Australia she lived for a short while with my aunty Emma and her husband Eric Hertzberg in Sydney, then moved to Melbourne where she was married.“ (3)
Edith starb im Alter von fast 86 Jahren am 20. Juni 2007 in Australien. (4)

Sohn Hans Werner war zeitweise bei seinem Onkel in der Nähe von Hamburg. Im Hause Dufkampstraße 33 wohnten nun Leopold und Bertha mit ihrem jüngsten Kind Max und mit den Großeltern Meijer und Schorsine Meijers (bis diese beiden Ende Januar 1939 nach Borculo/NL emigrierten).

Dank der Hilfe von Berthas Freundin Elisabeth Tombrink, die sich nicht einschüchtern ließ und Familie Meyers heimlich mit Lebensmitteln aus ihrem kleinen Geschäft versorgte, standen Meyers ihren schwierigen Alltag durch. Erst in der Dunkelheit ging Frau Tombrink zu Meyers; zur Sicherheit war ein spezielles Klopfzeichen abgemacht. (5)

Sie schlugen auch vor, Meyers im Keller zu verstecken, aber Meyers befürchteten, dass das herauskäme und Schwierigkeiten gäbe. (6)

Nachdem sie ihre Tochter Edith im Oktober 1938 nach Australien in Sicherheit gebracht hatten und ihre alt gewordenen Eltern am 1. Februar 1939 zu Verwandten in die Niederlande gezogen waren, blieben Leopold und Bertha Meyers und ihre beiden Söhne Hans Werner und Max in Stadtlohn zurück. Auch sie hofften auf Flucht ins Ausland, Max lernte Englisch und Hebräisch, um sich auf Palästina vorzubereiten. Im Interview 1995 berichtet er, dass seine Eltern versuchten wegzugehen, dass ihnen nach der Beschlagnahmung ihres Geldes aber die finanziellen Mittel dafür fehlten und nach Beginn des Krieges nicht mehr aus Deutschland herauszukommen war. Seine Eltern hatten versucht, nach Südamerika oder Palästina zu emigrieren; sein Bruder ging nach Holland, wurde dort aber zurückgeschickt.“(7)

Die letzten zehn jüdischen Menschen aus Stadtlohn mussten ihre Deportation nach Riga am 10. Dezember 1941 antreten. Zuvor wurde noch ein Foto der kleinen Gruppe gemacht (Abbildung im Anhang); nebeneinander stehen mit dem gelben Stern auf der Kleidung (von links nach rechts auf dem Bild im Anhang): Hans Werner Meyers, Pauline Kleffmann, Max Meyers, Bertha Meyers, Leopold Meyers, Herta Lebenstein, Daniel Lebenstein, Olga Lebenstein, Bertha Falkenstein und Salomon Falkenstein. Bild aus: Höting, Ingeborg: Familie Meijers/Meyers in Stadtlohn (Stand: 4.12.2012) anlässlich der Stolpersteinverlegung am 10. Dezember 2012

„Der Tag für die erste Deportation war auf den 10. bzw. 11. Dezember 1941 festgesetzt. Folgende Transporte lassen sich für das Gebiet des heutigen Kreises

Borken nachweisen: Ein Transport erfasste die Juden aus Stadtlohn, Südlohn und Gescher. Er ist hervorzuheben, da er in besonders abscheulicher Weise von statten ging. ‚Die Schulkinder in Stadtlohn erhielten für die Deportation durch ihre Lehrer schulfrei. In der Schule übten sie eigens für diesen Transport noch einmal das Schmählied: ‚Hängt sie auf, die alte Judenbande ...'. Laut Gerichtsurteil geschah der Abtransport in ‚besonders häßlicher Form', wobei den Juden unter Aufsicht der Lehrer ‚ins Gesicht gespuckt wurde'. Der Bürgermeister und der Ortsgruppenleiter beobachteten von der Freitreppe [des Rathauses] aus den Abtransport der Juden. Von einem Kaplan wurden die johlenden Schulkinder aufgefordert, die Schulmesse zu besuchen.'
Nachdem nun die Juden vor der singenden HJ und BDM auf einen Lastwagen geladen wurden, ging dieser Transport am frühen Morgen des 10. Dezember 1941 weiter nach Gescher. Dort stiegen eine weitere Anzahl Juden auf den LKW. Die Juden wurden auf dem Marktplatz mit einem LKW, auf dem sich auch ihre Leidensgenossen aus Stadtlohn und Südlohn befanden, nach Münster gebracht.'" (8)

„Ein junger Münsteraner Jude [Siegfried Weinberg, Jg. 1919] überlebte den Holocaust und verfasste einen Bericht über seine Erlebnisse. Er hielt Folgendes fest: ‚Sodann wurden wir in dem großen Restaurant ‚Gertrudenhof' (in Münster i/W) unter Bewachung konzentriert. Hier fand nun eine große Gepäck- und Leibesvisitation statt. Messer, Scheren, Rasierklingen, Toilettenartikel, Lebensmittel und Wäsche wurden bis auf etwas Wäsche und Lebensmittel abgenommen. Am 12. Dezember 1941 abends um 11 Uhr begann der Abtransport zum Güterbahnhof. Ca. 35-40 Personen wurden in kleine Omnibusse mit Handgepäck hineingezwängt und zum Bahnhof befördert. Der Sadismus und die teuflische Lust der Gestapo am Quälen der Menschen zeigte sich hier. Lassen Sie mich die Nacht kurz schildern: Stockfinster liegt die Nacht. Es regnet. Zwei schwere Tage liegen hinter uns. [... eingezwängt im Omnibus] Da knirschten die Bremsen, doch noch hielt der Wagen (noch) nicht richtig, da wurden schon die Türen aufgerissen. Die Gestapo-Banditen fingen an zu rasen. ‚Verfluchte Hunde, seid ihr noch nicht raus, aber schneller, sonst hagelt es' usw. Die älteren Leute wurden natürlich aufgeregt, und wir Jungen warfen unser Gepäck beiseite und halfen, was nur zu helfen war, doch die Schläge hagelten auf uns nieder. Aber willenlos mussten wir alles über uns ergehen lassen. Bis zum Morgengrauen waren dann 400 Juden aus dem Bezirk Münster i/Westf. in Personenwagen 3. Klasse zu je 8-10 Personen pro Abteil untergebracht. Die Türen der Waggons wurden daraufhin verschlossen. Um 10 Uhr morgens am 13. Dezember setzte sich der Zug in Bewegung. Die Fahrt ging dann nach Bielefeld (Westf.), wo auch ein Zug von ebenfalls 400 Juden angehängt wurde, sodann weiter nach Osnabrück, wo ein Transport von 200 Juden angehängt wurde. Das war die letzte Station. Unaufhaltsam rollten wir dann unserem Schicksal, das dunkel und schwer vor uns lag, entgegen. Verpflegung mussten wir für die Fahrt mitnehmen, da während der Fahrt nichts gegeben wurde. Am 15. Dezember 1941, abends 23 Uhr, rollten wir in Skirotawa ein und durften am 16. Dezember 1941 um 9 Uhr die Waggons verlassen. Geld musste abgegeben werden, Zuwiderhandlungen wurden mit dem Tode bestraft. Von Skirotawa aus begann der Marsch ins Ghetto, 5 km von Skirotawa entfernt.'

Ein weiterer Überlebender dieses aus ca. 1000 Personen bestehenden Transportes konnte über die Zugfahrt wie folgt berichten: ‚Während der ca. dreitägigen Fahrt nach Riga entzog ... die SS bereits das Trinkwasser. Am Ankunftsort, dem Güterbahnhof Skirotawa, wurden die Deportierten mit Peitschenhieben von SS-Leuten aus den Waggons getrieben. Bereits auf dem qualvollen Fußmarsch zum Rigaer Ghetto fanden Misshandlungen und Erschießungen alter und kranker Menschen statt. Eine sofortige Vernichtung des gesamten Bielefelder Transportes nahm die SS nicht vor.'

Besonders zu erwähnen sei hier die verachtenswerte Täuschung der Juden über den wirklichen Zweck des Transportes. Da wurde nicht von Deportierung gesprochen, sondern die beteiligten Behörden sprachen immer von ‚Evakuierung' [...]. Ebenso wurde zum Teil der Zielort verschwiegen, obwohl jeder Ortsbehörde das Deportationsziel Riga bekannt war. Beispielsweise wurde in Gescher zunächst als Ziel Palästina genannt. Daneben hatten die Juden die Fahrt zu bezahlen", und zwar mit 50 RM pro Person." (9)

Max berichtet im Interview 1995 davon, dass sein großer Bruder bei der Abfahrt des Zuges nach Riga in Ohnmacht fiel. Er erzählt unter Tränen, dass er als 13-Jähriger in Riga viel Blut sah und erst später verstand, dass es von den Juden stammte, die zuvor dort gewohnt hatten und ermordet worden waren. Dass die SS seine Eltern und ihn zur Zwangsarbeit im Ghetto einsetzten und sein Bruder nach Salaspils überstellt wurde. (10)

Leopold Meyers als ehemaliger Frontkämpfer des Ersten Weltkrieges soll bei der ghettointernen „Polizei" eingesetzt gewesen sein. Der Überlebende Max Meyers gibt über seinen älteren Bruder Hans Werner Meyers die Auskunft, dass er nach Salaspils geschickt wurde und nicht zurückkehrte. (11)

Das Lager Salaspils, in das Hans Werner geschickt wurde, befand sich noch im Aufbau und die dort eingesetzten Häftlinge waren der „Vernichtung durch Arbeit" ausgesetzt. Leopold und Schorsina wurden bei Riga erschossen, so gibt ihr überlebender Sohn 1984 in Gedenkblättern für seine Eltern an und nennt dort als vermutlichen Todeszeitpunkt „ungefähr April 1943". (12)

Max Meyers ist der einzige Überlebende der zehn von Stadtlohn aus nach Riga deportierten Juden. Bei seiner Befreiung wurde er gerade siebzehn Jahre alt. Im Interview der Shoah-Foundation 1995 berichtet Max Meyers von seiner Befreiung in Theresienstadt, dass das Rote Kreuz kam, fragte, was er brauche. Zwei oder drei Wochen wurde er vom Roten Kreuz versorgt; er erholte sich mit seinen siebzehn Jahren schnell. Sie gaben ihm zu essen, aber es durfte nicht zuviel gegessen werden, sonst drohte Dysenterie (Ruhr). Dann wollte er nach Hause laufen, erhielt Schuhe und lief, schleppte sich vorwärts. Er hatte ein Formular erhalten, wonach er Anspruch auf Hilfe hatte, aber niemand hatte Essen; also musste er sich Essen stehlen. Max lief ungefähr drei Monate; in Paderborn verbrachte er drei oder vier Monate zur Genesung in einem Krankenhaus. Er wohnte dort und erholte sich. Ihm wurde angeboten, nach Schweden zu gehen, aber er wollte nicht. Er dachte, es würde vielleicht noch jemand zurückkommen. Aber es kam niemand zurück. (13)

Zurück in Stadtlohn nahm ihn Familie Tombrink auf. „Und sie versorgten mich gut", berichtete er im Interview 1995. Auf die Frage, ob vom Besitz der Familie noch etwas zurückgeblieben war, antwortete er, dass seine Eltern einiges hatten; seine Mutter besaß viel gutes Besteck, Kisten mit Porzellan sowie Möbel hatte sie Nachbarn zur Aufbewahrung gegeben für den Fall ihrer Rückkehr. Aber die sagten, es sei alles zerbombt worden, aber es war nicht unter die Bomben gekommen, es war noch da. Er aber dachte, was soll es. Es gehörte eigentlich seiner Schwester, so schrieb sie. Ein paar Dinge erhielt sie zurück, ein Hochzeitskleid mit silbernen Ornamenten, das war alles, was von den Kisten übrig war. Sie stahlen es. Auf die Frage, woher er das wüsste, antwortet er, dass andere Nachbarn es ihm erzählten. Max wollte mit den Stadtlohnern nicht viel zu tun haben, außer mit Tombrinks. Er blieb noch bis 1947 in Stadtlohn, besuchte Englisch-Unterricht. Sein Onkel in Australien sorgte dafür, dass der 18-Jährige ein Visum erhielt und mithilfe einer Organisation nach Australien kommen konnte. (14)

Max Meyers, der in der Engelsstraße wohnte, meldete sich am 18. Januar 1947 in Stadtlohn ab. (15) Am 9. Februar 1947 bestieg er das Schiff „Johan de Witt", das ihn nach Melbourne in Australien brachte. (16) Nach seinen eigenen Angaben traf er dann am 17. März 1947 in Australien ein. (17)

Die Emigration nach Australien führte ihn mit den noch lebenden Mitgliedern seiner Familie zusammen: mit seiner Schwester Edith, seiner Tante Emma und ihrem Mann und weiteren Angehörigen. Er versuchte in Australien gleich eine Stelle zu bekommen und Geld zu verdienen. Er heiratete 1958. Seine Frau Yvonne und er bekamen zwei Kinder, Gregory und Jacqueline. (18)

Edith, seine ältere Schwester, die ihn in Australien erwartete, heiratete dort Samuel Chani; ihre gemeinsame Tochter Yvonne wurde 1946 geboren. Nach ihrer Scheidung lernte Edith dann Ted van den Driesschen kennen; sie heirateten und 1953 kam Tochter Marion zur Welt. (19)

Leopold Meyers   Bertha Meyers, geb. Meyer

Max Heinz Meyers. Bild aus Höting, a.a.O.

Edith Meyers in Australien kurz nach dem Zweiten Weltkrieg. Bild aus Höting a.a.O.

Anmerkungen:

1)   Kennkarte
2)   Zitiert nach Höting, Ingeborg: Familie Meijers/Meyers in Stadtlohn
     (Stand: 4.12.2012) anlässlich der Stolpersteinverlegung am 10. De-
     zember 2012. Frau Höting beschreibt ausführlich in ihrem Buch das
     Schicksal der Familien Meyers/Meyer aus Stadtlohn.
3)   ebenda
4)   ebenda
5)   Auskunft von Brigitte Rossmöller geborene Tombrink (Jg. 1941), No-
     vember 2012. Zit. Nach: Höting,a.a.O., S.27
6)   Visual History Archive: Interview mit Max Meyers , zit. Nach: Hö-
     ting,a.a.O., S.27
7)   ebenda
8)   Höting, Ingeborg: Familie Meijers/Meyers in Stadtlohn (Stand:
     4.12.2012) anlässlich der Stolpersteinverlegung am 10. Dezember
     2012
9)   Nacke: Die organisierte Massenvernichtung. Nach: Höting, a.a.O.
10) ebenda
11) Visual History Archive: Interview mit Max Meyers, nach Höting, a.a.O.
12) ebenda
13) Höting, Ingeborg: Familie Meijers/Meyers in Stadtlohn (Stand:
     4.12.2012) anlässlich der Stolpersteinverlegung am 10. Dezember
     2012
14) Visual History Archive: Interview mit Max Meyers, nach Höting, a.a.O.
15) Stadtarchiv Stadtlohn, Meldebuch 1947, nach Höting, a.a.O.
16) vgl. United States Holocaust Memorial Museum – Holocaust Survivor
     & Victim Database zu Max Meyers (http://resources.ushmm.org)
17) Visual History Archive: Interview mit Max Meyers, nach Höting, a.a.O.
18) Höting, a.a.O.
19) ebenda

Name: Moritz Meyers
Geburtsdatum: 20.1.1894   in Stadtlohn/Westfalen
Sterbedatum: 1942
Eltern: Meijer und Schorsina Meijers
Ehegatte: 1) Hanna Hedwig Stein 2) Marta Cohn
Kinder:
Wohnort: Stadtlohn, Heiligenstadt, Leipzig, Elmshorn,
                               Hamburg
Beruf: Vertreter und Handelsreisende
Inhaftierung Pogrom 1938:   Ja, Sachsenhausen
Deportationsdatum 1:   1938
Deportationsort 1:   Hamburg-Fuhlsbüttel, Sachsenhausen
Deportationsdatum 2:   1942
Deportationsort 2:   Hamburg-Fuhlsbüttel, am 11.7.1942 Auschwitz
Weiterer Verbleib:
Stolperstein: Ja, in Heiligenstadt (Bonifatiusstraße 7)

Moritz Meyers war der Bruder von Leopold Meyer. Er wurde am 20.1.1894 in Stadtlohn /Westf. geboren. Am 14.10.1919 heiratete er Hanna Hedwig Stein. (1) Der jüdische Vertreter und Handelsreisende wohnte ab Anfang der 1930er Jahre in Heiligenstadt, bis er 1936 nach Leipzig und später nach Hamburg ging. Er lebte zeitweise auch in Elmshorn. 1938 wurde er in Hamburg-Fuhlsbüttel inhaftiert. In dem Novemberpogrom 1938 erfolgte die Verschleppung nach Sachsenhausen, wo er am 15.12.1938 wieder entlassen wurde. Er lebte ab 1939 mit seiner zweiten Ehefrau Marta Cohn in Hamburg. Er hat nach der Entlassung vermutlich bei seinen Verwandten in Elmshorn gelebt. 1942 erfolgte die zweite Inhaftierung in Hamburg-Fuhlsbüttel. Von hier deportierte man ihn gemeinsam mit seiner Frau Marta und 300 weiteren Hamburger Juden am 11.7.1942 nach Auschwitz. (2)

Links: Moritz Meyers (Mitte) in Uniform während des Ersten Weltkriegs. Bild aus: Höting, a.a.O.

Hochzeit von Moritz Meyers mit Hanna Hedwig Stein am 14.10.1919. Bild aus: Höting, a.a.O.

Anmerkungen:

1)   Höting, Ingeborg: Familie Meijers/Meyers in Stadtlohn (Stand:
        4.12.2012) anlässlich der Stolpersteinverlegung am 10. Dezember
        2012. Frau Höting beschreibt ausführlich in ihrem Buch das Schicksal
        der Familien Meyers/Meyer aus Stadtlohn.
2)   http://www.cdu-
        heiligenstadt.de/inhalte/1020078/presse/30702/stolpersteine-steine-
        der-erinnerung-in-heilbad-heiligenstadt-werden-in-diesem-jahr-zum-
        zweiten-mal-stolpersteine-verlegt/index.html
        und: http://www.tenhumbergreinhard.de/1933-1945-
        lager/auschwitz-i--ii/auschwitz-i--ii-m.html

Name:	Lea Nemann	
Geburtsdatum:	15.5.1868	in Rakwitz/Posen
Sterbedatum:	18.10.1942	in Theresienstadt
Eltern:		
Ehegatte:	ledig	
Kinder:	keine	
Wohnort:	Rakwitz, Elmshorn, Hamburg	
Deportationsdatum 1:	19.7.1942	
Deportationsort 1:	Theresienstadt	
Deportationsdatum 2:		
Deportationsort 2:		
Weiterer Verbleib:		
Stolperstein:	Ja, in Hamburg	

Lea Nemann wurde am 15. Mai 1868 in Rakwitz (Posen) geboren. (1)
Sie wohnte in Elmshorn und in Hamburg am Großneumarkt 37. In welchem
Verwandschaftsverhältnis sie zu den ebenfalls dort lebenden Dr.med. Isidor
Nemann, prakt Arzt und Facharzt für Hautkrankheiten, und Felix Nemann stand,
ließ sich nicht ermitteln. (2) Alle drei sind in Rackwitz geboren und waren vermutlich Geschwister. Lea im Jahre 1868, Isidor am 23.3.1868 und Felix am
10.4.1865. (3)
Am 19.7.1942 wurde Lea mit dem Transport aus Hamburg und Kiel in das Ghetto Theresienstadt deportiert, wo sie am 18. Oktober 1942 mit 74 Jahren starb.
(4) Vier Tage vorher war Felix Nemann nach Theresienstadt deportiert worden.
(5) Nur kurze Zeit später, starb Isidor am 5.11.1942 in Hamburg in der Schäferkampsallee 29 an „Paralysis agitans" (Parkinson, Schüttellähmung) verstorben
sei. (6) Felix Nemann wurde von Theresienstadt am 21 Sep 1942 in das KZ Treblinka weiterverschleppt, wo er ebenfalls 1942 ermordet wurde. (7)

Foto: Hinnerk11, Lizenz: Creative Commons by-sa-3.0 de.
https://de.wikipedia.org/wiki/Datei:Stolperstein_Gro%C3%9Fneumarkt_37_(Lea_Nemann)_in_Hamburg-Neustadt.JPG

Links: Foto: Hinnerk11, Lizenz: Creative Commons by-sa-3.0 de.
https://de.wikipedia.org/wiki/Datei:Stolperstein_Gro%C3%9Fneumarkt_37_(Isidor_Nemann)_in_Hamburg-Neustadt.JPG
Rechts: Foto: Hinnerk11, Lizenz: Creative Commons by-sa-3.0 de.
https://commons.wikimedia.org/wiki/File:Stolperstein_Gro%C3%9Fneumarkt_37_(Felix_Nemann)_in_Hamburg-Neustadt.JPG

Nr. 523   C.

Hamburg   den 6. November   1942

Der frühere Arzt, jetzt ohne Beruf, Isidor - - - -

N e m a n n , Doktor der Medizin, mosaisch, - - - - - -

wohnhaft in Hamburg, Schäferkampsallee 25/27 - - - - - -

ist am 5. November 1942 - - - - - - um 12 Uhr 20 Minuten

in Hamburg, Schäferkampsallee 29 - - - - - - - - - verstorben.

Der Verstorbene war geboren am 23. März 1866 - - - - - - -

in Rakwitz -

(Standesamt Preußisches Amtsgericht Wollstein Nr. 12   ).

Vater: Moritz Nemann - - - - - - - - - - - - - - -

- -

Mutter: Betty geborene Friedlaender, - - - - - - - -

beide verstorben, letzter Wohnort unbekannt. - - - - - -

Der Verstorbene war - nicht - verheiratet - - - - - - -

- -

- -

Eingetragen auf mündliche - schriftliche - Anzeige des Außenbeamten

Manfried Israel Menco, wohnhaft in Hamburg. - - - - - -

Der Anzeigende legte Kennkarte vor und erklärte, von dem

Sterbefall aus eigener Wissenschaft unterrichtet zu sein.

- -

Vorgelesen, genehmigt und   unterschrieben

Manfried Israel Menco

Der Standesbeamte

[Unterschrift]

Todesursache: Paralysis agitans

Eheschließung d. Verstorbenen am   in

(Standesamt   Nr.   ).

Anmerkungen:

1)   https://www.bundesarchiv.de/gedenkbuch/directory.html.de?result#f rmResults
2)   Adressbuch Hamburg 1925
3)   https://www.bundesarchiv.de/gedenkbuch/directory.html.de?result#f rmResults
4)   https://www.bundesarchiv.de/gedenkbuch/de935221
https://www.ushmm.org/online/hsv/person_view.php?PersonId=149 1260
5)   https://www.bundesarchiv.de/gedenkbuch/de935217
6)   Ancestry.com. *Hamburg, Deutschland, Sterberegister, 1874-1950* [database on-line]. Provo, UT, USA: Ancestry.com Operations, Inc., 2015. Ursprüngliche Daten: Best. 332-5 Standesämter, Personenstandsregister, Sterberegister, 1876-1950, Staatsarchiv Hamburg, Hamburg, Deutschland.
7)   http://stolpersteine-hamburg.de/index.php?MAIN_ID=7&BIO_ID=3724
https://www.ushmm.org/online/hsv/person_view.php?PersonId=149 1259

Name:	Alfred Oppenheim
Geburtsdatum:	13.5.1897 in Elmshorn
Sterbedatum:	6.4.1943 im KZ Hamburg-Fuhlsbüttel
Eltern:	Julius Oppenheim und Emma Steinberg
Ehegatte:	1) Dolly Shuhoke 2) Margarethe Heine, geb. Schinke
Kinder:	
Wohnort:	Elmshorn, Hamburg
Beruf:	Kaufmann
Inhaftierung Pogrom 1938:	unbekannt
Deportationsdatum 1:	1942
Deportationsort 1:	KZ Hamburg-Fuhlsbüttel
Deportationsdatum 2:	
Deportationsort 2:	
Weiterer Verbleib:	
Stolperstein:	Ja

Der Sohn Alfred Oppenheim wurde am 13.5.1897 in Elmshorn als Sohn des Julius Oppenheim und seiner Frau Emma Steinberg geboren. (1) Alfred ging zur „Bismarckschule" und war anschliessend, wie sein Stiefbruder, Soldat im 1. Weltkrieg und stand dafür ebenfalls auf der Gedenktafel der Synagoge (2) und der Gedenktafel für Bismarckschüler. Nach dem Krieg absolvierte er eine kaufmännische Ausbildung. (3) Zu dieser Zeit wohnte er noch in der Kaltenweide 3. Alfred war das „schwarze Schaf" der Familie. Er wurde in Interviews als "Baron von Oppenheim" betitelt. (4) 1926 heiratete er Dolly Shuhoke. Sie wohnten in der Grindelallee 62 in Hamburg. (5) Diese Ehe währte nur kurz, da Dolly schon 1931 in Elmshorn verstarb. (6) Im Jahr 1931 befand sich Alfred in Haft. Während eines extra dafür erteilten Hafturlaubs heiratete er noch im Todesjahr von Dolly am 5.5.1931 seine zweite Frau, Margarethe Heine, geb. Schinke. Nach seiner Entlassung aus der Haft wohnten sie in Hamburg in der Grindelallee 62 und 146. (7)

1942 verhaftete man Alfred Oppenheim erneut und brachte ihn in das Gestapo-Gefängnis im Konzentrationslager Fuhlsbüttel. Dort starb er am 6.4.1943. (8)

Das KL Fuhlsbüttel, auch Kola-Fu genannt, wurde ab März 1933 auf dem Geländekomplex der Strafanstalt Fuhlsbüttel in Hamburg errichtet und bestand bis zum Ende des Nationalsozialismus im April 1945. Ab dem 4. 9. 1933 wurde es der SS-Bewachung unterstellt und offiziell zum KZ erklärt. Mitte 1936 ordnete Heinrich Himmler die Umbenennung zum Polizeigefängnis an. Es stand unter der Verwaltung der Gestapo. Unter diesem Namen firmierte es bis April 1945. (9)

Für Alfred Oppenheim wurde in Elmshorn in der Kaltenweide 3 ein Stolperstein verlegt:

Foto: Privatarchiv Harald Kirschninck

Anmerkungen:

1) Personendatei Kirschninck
2) Die Tafel hängt in der Synagoge
3) Personendatei Kirschninck
4) Interview mit Christian Rostock, Rudolf Baum
5) Personendatei Kirschninck
6) Kennkarte
7) Personendatei Kirschninck
8) Nach Stammbaum wurde er deportiert und starb in Polen, Ort unbekannt; nach : Carlebach, Miriam(Hrsg.): Memorbuch z. Gedenken an die jüdischen, in der Schoa umgekommenen Schleswig-Holsteiner und Schleswig-Holsteinerinnen, Hamburg 1996.
9) https://de.wikipedia.org/wiki/KZ_Fuhlsb%C3%BCttel

Name:	Recha Oppenheim, geb. Fürst
Geburtsdatum:	13.2.1863 in Lübeck
Sterbedatum:	26.9.1942 Treblinka
Eltern:	
Ehegatte:	Pferdehändler, Schlachter Moritz Oppenheim
Kinder:	Georg (1893), Albert (1894), Henry (1895), William (1897), Hedwig (1900) und Fritz Werner (1906)
Wohnort:	Elmshorn, Hamburg
Beruf:	
Deportationsdatum 1:	19.7.1942
Deportationsort 1:	Theresienstadt
Deportationsdatum 2:	26.9.1942
Deportationsort 2:	Treblinka
Weiterer Verbleib:	
Stolperstein:	Ja, in Hamburg

Recha Oppenheim wurde am 13.2.1863 in Lübeck geboren. Sie heiratete den Elmshorner Pferdehändler und Schlachter Moritz Oppenheim und Recha, geb. Fürst und lebte fortan in der Parallelstrasse 17 in Elmshorn. (1) Das Ehepaar bekam sechs Kinder: Georg (1893), Albert (1894), Henry (1895), William (1897), Hedwig (1900) und Fritz Werner (1906). (2) Am 25.9.1928 verstarb Moritz Oppenheim. (3) Recha zog am 28.12.1931 nach Hamburg in die Schlüterstr. 81 zu ihrem Sohn Fritz-Werner Oppenheim. (4) Nachdem dieser in die USA ausgewandert ist, zog sie ins Alten- und Pflegeheim Laufgraben 37. (5)

Von dort wurde sie am 19.7.1942 zunächst nach Theresienstadt und danach am 26.9.1942 in das Vernichtungslager Treblinka deportiert und dort ermordet. (6)

Für Recha Oppenheim wurde vor der Schlüterstrasse 81 ein Stolperstein verlegt. (7)

Recha Oppenheim, geb. Fürst. Foto
Yad Vashem. Aus: Stolpersteine
Hamburg.
http://www.stolpersteine-
ham-
burg.de/?&MAIN_ID=7&r_name=op
pen-
heim&r_strasse=&r_bezirk=&r_stteil
=&r_sort=Nachname_AUF&recherch
e=recherche&submitter=suchen&BI
O ID=3241

Stolperstein Recha Oppenheim. Schlüterstrasse 81 in Hamburg. Foto: Hin-
nerk11.
https://de.wikipedia.org/wiki/Datei:Stol
per-
stein_Schl%C3%BCterstra%C3%9Fe_81_
%28Recha_Oppenheim%29_in_Hambur
g-Rotherbaum.JPG

Elmshorner Nachrichten,
o. Datum

Anmerkungen:

1)   Personendatei Kirschninck
2)   Ebenda
3)   Über die Biografien der Familie Moritz Oppenheim Vgl. Kirschninck,
        Harald: Was können uns die Gräber erzählen. Bd.1, a.a.O., S. 383 – 407
4)   Ebenda
5)   Ebenda
6)   https://www.bundesarchiv.de/gedenkbuch/de941050
7)   http://www.stolpersteine-
        ham-
        burg.de/?&MAIN_ID=7&r_name=oppenheim&r_strasse=&r_bezirk=&r
        _stteil=&r_sort=Nachname_AUF&recherche=recherche&submitter=su
        chen&BIO_ID=3241

Minna Petersen, geb. Hertz

Name:	Minna Petersen, geb. Hertz
Geburtsdatum:	23.6.1905 in Obendeich/ Herzhorn
Sterbedatum:	1975 in Westerland
Eltern:	Gustav Hertz und Henriette Mendel
Ehegatte:	Nicolai Petersen
Kinder:	
Wohnort:	Herzhorn, Elmshorn, Sylt, Glückstadt
Deportationsdatum 1:	12.2.1945
Deportationsort 1:	Theresienstadt
Deportationsdatum 2:	
Deportationsort 2:	
Weiterer Verbleib:	befreit, kehrte nach Glückstadt zurück
Stolperstein:	Nein

Minna Petersen, geb.
Hertz 1945. Bild aus:
Eidesstattliche Erklärung
vor dem Amtsgericht IZ.
In: Steinburger Jahrbuch
2002,S.102

Minna Hertz, das zweite Kind von Gustav Hertz und Henriette Mendel wurde am 23.6.1905 in Obendeich (Herzhorn) geboren. Sie heiratete den evangelischen Sparkassenleiter Nicolai Petersen aus Westerland, geb. am 10.9.1900. (1) Nicolai Petersen stand während der NS-Zeit zu seiner Frau und ließ sich nicht einschüchtern. Dieses rettete zunächst Minna. Am 12.2.1945 deportierten die Nationalsozialisten Minna über Hamburg-Grindelhof nach Theresienstadt, wo sie von der russischen Armee befreit wurde. Nicolai wurde aus der Wehrmacht entlassen und nur einen Tag nach der Deportation von Minna in das Lager der Organisation Todt auf dem Flugplatz Zerbst-Lindau/ Gau Magdeburg-Anhalt zum Arbeitseinsatz deportiert. Hinter der Denunziation beim Wehrmeldeamt in Itzehoe (die sofort an die Gestapo weitergegeben wurde) steckte der Kommissarische Ortsgruppenleiter und Glückstädter Bürgermeister Wilhelm Vogt. (2)

Nicolai Petersen, Konfirmation 1915/16.Bild aus: Konfirmation durch Pastor Hans Johler in Westerland.
http://www.lauritzen-hamburg.de

"Von meiner Frau hatte ich die ganze Zeit keine Nachricht [...] Ich muß noch bemerken, dass in meiner Arbeitsgruppe nur jüdische Mischlinge oder Männer, die mit Jüdinnen verheiratet waren, beschäftigt waren. (3) Wir wurden nicht als deutsche Männer, sondern als Juden [...] und dementsprechend behandelt." (4)

Am 19.6.1945 wurde Minna von dort entlassen und kehrte zu ihrem inzwischen ebenfalls befreiten Ehemann nach Glückstadt zurück. (5) Dem späten Deportationszeitpunkt verdankte sie vermutlich ihr Leben. Minna starb 1975 in Westerland. (6)

Anmerkungen:

1   Kennkarte
2   König, Regina: "... wohl nach Amerika oder Palästina ausgewandert".
        Der Exodus jüdischer Familien aus dem Kreis Steinburg nach 1933,
        a.a.O.
3   Vgl. auch Schicksal der Familie Lötje, Elmshorn, in: Kirschninck, Harald:
        Die Geschichte der Juden in Elmshorn. 1918-1945. Band 2. Norderstedt
        2005.
4   Eidesstattliche Erklärung Nicolai Petersen, in König, Regina, a.a.O.
5   Personendatei Kirschninck
6   http://person.ancestry.com/tree/39888870/person/19455762176/stor
        y

Über die Biografien der Familie Mendel siehe Kirschninck, Harald: Was können uns die Gräber erzählen, a.a.O., Bd. 1, S. 305ff

Name:	James Philipp
Geburtsdatum:	12.1.1872 in Elmshorn
Sterbedatum:	18.10.1943 in Theresienstadt
Eltern:	Carl Philipp und Rieke Hertz
Ehegatte:	Susanna, geb. Löffler
Kinder:	Herbert (1898) und Robert (1899)
Wohnort:	Elmshorn, Hamburg
Beruf:	
Inhaftierung Pogrom 1938:	unbekannt
Deportationsdatum 1:	9.6.1943
Deportationsort 1:	Theresienstadt
Deportationsdatum 2:	
Deportationsort 2:	
Weiterer Verbleib:	
Stolperstein:	Nein

Am 12.1.1872 bekamen Carl Philipp und Rieke Hertz die Zwillinge Henry und James, die am 20.1.1872 beschnitten wurden. Henry Philipp wurde nur drei Monate alt und verstarb am 22.4.1872. (1)
James Philipp überlebte, wuchs in Elmshorn auf und heiratete später Susanna, geb. Löffler. (2) Vermutlich war Susanna evangelisch, da James laut Kennkarte den evangelischen Glauben annahm. (3) Sie bekamen zwei Kinder: Herbert und Robert.
Herbert Philipp wurde am 19.3.1898 in Elmshorn geboren und starb nur zwei Tage später am 21.3.1898 an „Lebensschwäche". (4)
Robert Philipp, geboren am 24.9.1899 (5), heiratete später Bertha Eva, bekam zwei Kinder, Heinz (1929) und Kurt (1931). Ihnen gelang am 4.10.1938 die Emigration mit dem Schiff „Stratheden" über London nach Melbourne. (6) Sie wohnten nach dem Krieg in Prahran, einem Ortsteil von Melbourne. (7)
Von Susanna wurden keine biografischen Daten bekannt.

James Philipp, der in der Schulstrasse 38, später in Hamburg lebte, wurde am 9.6.1943 (Ankunft 11.6.1943) mit dem Transport VI/7-54 von Hamburg ins KZ Theresienstadt deportiert und verstarb dort am 18.10.1943. (8)

Über die Biografien der Familie Philipp siehe Kirschninck, Harald: Was können uns die Gräber erzählen, a.a.O., Bd. 1, S. 347ff

Anmerkungen:

1   Zivilstandsregister Jüdische Gemeinde, Kirchenbuch
2   Ebenda
3   Kennkarte
4   Kennkarte
5   Kennkarte
6   National Archives of Australia (Australian Government):
        http://recordsearch.naa.gov.au
7   Ebenda
8   Carlebach, Gillian (Hrsg.): Memorbuch zum Gedenken an die jüdischen, in der Schoa umgekommenen Schleswig-Holsteiner und Schleswig-Holsteinerinnen, a.a.O.
        Haeftlingsliste des Lagers Theresienstadt, Terezínská pametní kniha / Theresienstädter Gedenkbuch, Institut Theresienstädter Initiative, Band I–II: Melantrich, Praha 1995; Band III: Academia, Praha 2000.
        Gedenkbuch Berlin, a.a.O.

Name:	Änne Rosenberg
Geburtsdatum:	29.10.1894 in Elmshorn
Sterbedatum:	1942
Eltern:	John Rosenberg und Henriette Mendel
Ehegatte:	
Kinder:	
Wohnort:	Elmshorn, Hamburg, Brügge
Beruf:	Stenotypistin und Kontoristin
Deportationsdatum 1:	5.10.1941
Deportationsort 1:	Lodz
Deportationsdatum 2:	8.11.1941
Deportationsort 2:	Minsk, 10.5.1942 Chelmno
Weiterer Verbleib:	
Stolperstein:	Ja, in Hamburg

Aenne Alma (Anne) Rosenberg war das achte Kind von John Rosenberg und Henriette Mendel, geboren am 29.10.1894 in Elmshorn. (1) Heiko Morisse stellte anlässlich der Stolpersteinverlegung in Hamburg den Lebensweg von Aenne Rosenberg dar:

„Rosenberg, Anna
geb., deportiert am 25.10.1941 nach Lodz, weiterdeportiert am 10.5.1942 nach Chelmno
Büroangestellte beim Landgericht Hamburg

Anna Rosenbergs Eltern waren der Rohproduktenhändler John Rosenberg und seine Ehefrau Henriette geborene Mendel. In ihrer Geburtsstadt Elmshorn besuchte sie bis zum 15. Lebensjahr die höhere Mädchenschule. Danach wurde sie im väterlichen Geschäft in Stenografie und Maschinenschrift sowie allgemeinen Kontorarbeiten ausgebildet. Nachdem ihre Eltern im September 1911 ihren Wohnsitz nach Hamburg verlegt hatten, war sie als Stenotypistin und Kontoristin bei verschiedenen Hamburger Firmen sowie der Kaiserlichen Werft in Brügge/ Belgien tätig. Auf eine Bewerbung, in der sie sich "als perfekte Stenotypistin und äußerst gewandt im Maschineschreiben sämtlicher Systeme" bezeichnete, wurde sie zum 1. Dezember 1924 als Büroangestellte (Stenotypistin) beim Landgericht Hamburg eingestellt. Vom 1. August 1925 bis zum 15. Dezember 1928 war sie an die Landesjustizverwaltung versetzt, wo sie damit befasst war, Bescheide in Gnadensachen auszufertigen. Danach war sie wieder beim Landgericht im Strafjustizgebäude tätig.

Nach der nationalsozialistischen Machtübernahme soll sich Anna Rosenberg, die 1929/30 Mitglied der SPD gewesen war, nach Behauptungen von Kollegen gegen die "nationale Erhebung" ausgesprochen und, "wenn andere das Horst Wessel-Lied summten, gewitzelt" haben. Obwohl sie – wohl aus steuerlichen Gründen, da sie ihre verwitwete Mutter unterstützen musste – 1928 aus der Deutsch-Israelitischen Gemeinde ausgetreten war, bekannte sie sich im Fragebogen zum Gesetz zur Wiederherstellung des Berufsbeamtentums zum jüdischen Glauben. Am 24. Juli 1933 kündigte der Justizsenator Rothenberger ihr Beschäftigungsverhältnis wegen ihrer jüdischen Abstammung gemäß § 3 dieses Gesetzes zum 31. August.

Vermutlich hat Anna Rosenberg in der Folgezeit Arbeit als Stenotypistin bei jüdischen Firmen gefunden. Spätestens seit Oktober 1939 war sie bei Dr. Manfred Zadik tätig, der wie alle jüdischen Rechtsanwälte zum 30. November 1938 Berufsverbot erhalten hatte und seitdem – bis zu seiner Emigration Ende Februar 1941 – einer von sieben "jüdischen Konsulenten" war, die zur rechtlichen Beratung und Vertretung von Juden zugelassen waren. Als Dr. Zadik seine Praxis aus der Innenstadt in sein Haus in Othmarschen verlegte, war sie bei ihm und seiner Frau auch wohnhaft. Nachdem Zadiks "Hilfsarbeiter" Dr. Ernst Kaufmann, ebenfalls ein früherer jüdischer Rechtsanwalt, als "Konsulent" bestellt worden war, arbeitete sie für diesen als Büroangestellte.

Mit dem ersten Hamburger Transport am 25. Oktober 1941 wurde Anna Rosenberg nach Lodz deportiert. Als Anfang Mai 1942 die Transporte in das Vernichtungslager Chelmno zusammengestellt wurden, erhielt auch sie eine "Ausreise-Aufforderung". Mit Schreiben vom 3. Mai 1941 bat sie um Freistellung von dem Ausreisebefehl, da sie – zu einem Tageslohn von RM 2,20 – in der "Garten- und Feldarbeit" beschäftigt sei. Da dies nicht als etatisierte Arbeitsstelle galt, wurde ihr Gesuch abgelehnt. Am 10. Mai 1942 wurde sie nach Chelmno verbracht, wo sie vermutlich unmittelbar nach der Ankunft in den Gaswagen umgebracht wurde. …

Obwohl standesamtlich "heute mit dem Vornamen ‚Anna' in das Geburtsregister eingetragen", wird Anna Rosenbergs Vorname in der Hamburger Deportationsliste von 1941 und in den Gedenkbüchern mit "Aenne" bzw. "Aenne Alma" angegeben."(2)

Änne Rosenberg, ihr Bruder Julius Rosenberg und seine Frau Edith Scherer wurden mit dem ersten Deportationstransport am 25.10.1941 aus Hamburg nach Litzmannstadt (Lodz) verschleppt. Der damalige Vorsitzende der Jüdischen Gemeinde Hamburg, Dr. Max Plaut, hatte über diesen Transport einen Bericht verfasst:

„Die Betreffenden erhielten durch die Gestapo per Einschreibebrief einen „Evakuierungsbefehl" , in dem ihnen mitgeteilt wurde, dass sie sich einen Tag vor Abtransport im Gebäude der „Provinzialloge für Niedersachsen", Moorweidenstraße, einfinden sollten. Wörtlich hieß es:
„Ihre Evakuierung nach Litzmannstadt ist angeordnet. Ihr Vermögen wird mit sofortiger Wirkung beschlagnahmt, jede Verfügung über Vermögen wird bestraft."
Es folgten genaue Anweisungen über Mitnahme von Reisegepäck, Wegzehrung und Taschengeld. 50 Kg Gepäck (Wäsche, Kleidung und Decken), Mundvorrat für 2 Tage wurden erlaubt. Die Transportteilnehmer hatten außerdem ein mitgesandtes Vermögensverzeichnis auszufüllen und mit dem übrigen Bargeld im Versammlungslokal abzuliefern. Nach Verlassen der Wohnung mussten die Schlüssel auf dem zuständigen Polizeirevier abgeliefert werden. Die Wohnungen wurden zunächst polizeilich versiegelt. Auf Grund der Beschlagnahmeverfügung zog später der Oberfinanzpräsident das Eigentum der evakuierten Juden zugunsten des Reiches ein (...)
In dem Logengebäude wurden die Transportteilnehmer von Beamten der Gestapo abgefertigt: Gepäckkontrolle, Geldabnahme (auch des Taschengeldes), Abnahme der Vermögensverzeichnisse usw. (...)
Die Beamten der Gestapo hatten die Anweisung, die Juden anständig zu behandeln und von jeder Schikane abzusehen. Trotzdem kam es gelegentlich zu hässlichen Entgleisungen (...)
Anderntags erfolgte der Abtransport mit Lastautos zum „Hannoverschen Bahnhof", der für alle Deportierungen zuständig bleiben sollte. Ein großes Aufgebot von Gestapobeamten, aber auch von Helfern der jüdischen Gemeinde, war zur

Stelle. Reichlich Lebensmittel und Medikamente waren ebenso wie Decken eingebracht. Als Begleitpersonal fuhren ein Leutnant und 15 Mann Schutzpolizei in Uniform mit (...)

Die Vorschriften blieben für alle folgenden Transporte die gleichen, auch die Modalitäten der Abfertigung. Die Versammlungslokale wechselten. Neben der Loge in der Moorweidenstraße waren noch eine Schule am Sternschanzenbahnhof und das jüdische Gemeinschaftshaus, Hartungstraße (Auschwitztransport), Sammelpunkte. Ältere Leute, Kriegsversehrte, Insassen von Alters- und Pflegeheimen sowie das dazugehörige Personal wurden grundsätzlich nach dem KZ Theresienstadt deportiert. Die Formalitäten wurden hier anders gefasst, die Prinzipien blieben immer die gleichen (...)" (3)

Frau W., die zu den Helfern der jüdischen Gemeinde in Hamburg gehörte, berichtete darüber, wie die zu deportierenden Juden im Logenhaus am Dammtor-Bahnhof übernachten mussten. Wegen der großen Kälte im Dezember rissen die Menschen den Parkettboden auf und verheizten das Holz. Die hygienischen Verhältnisse waren katastrophal. Es kam soweit, dass die Toiletten überliefen und mit Essenskannen, die man eiligst aus der Hartungstraße herbeiholte, ausgeschöpft werden mussten. Die Helfer der jüdischen Gemeinde hatten bei den ersten Transporten noch keine Ahnung, welches Ziel die Deportationen hatten und was mit den Menschen geschehen sollte. (4)

Heinz Rosenberg schilderte ebenfalls den Verlauf einer Deportation aus Hamburg. Über die Abfertigung in der Loge an der Moorweidenstraße schrieb er:
„ Am 7. November 1941 erhielten wir folgenden Brief:
„Der Jude Fritz Alexander Israel Rosenberg, seine Frau Else Sara, sein Sohn Heinz Ludwig Israel und seine Tochter, Irmgard Sara, haben sich am 8. November zwischen 10 und 12 Uhr in der früheren Jüdischen Loge in der Moorweidenstraße einzufinden. Der Wohnungsschlüssel ist vor Verlassen auf der nächsten Polizeistation abzugeben. Die Wohnung und ihr Inhalt darf nicht verkauft oder beschädigt werden. Sie sind in gutem Zustand zu hinterlassen. Jedes Mitglied der Familie kann einen Koffer mitnehmen, der 50 Pfund Kleidung, Bettwäsche und Schuhe enthalten darf. Alles Eigentum, Konten, Bargeld und Wertgegenstände sind hiermit beschlagnahmt.
gez. Das SS Kommando von Hamburg. Die Stadt Hamburg."

Abb.: Kontrolle von persönlichen Sachen von Juden kurz vor der Deportation, November 1941,
Turnhalle ehem. Kampstrasse 62 der ehem. Jüdischen Schule in Hamburg; Zeichnung der Augen-
zeugin
Walter. Aus: Stätten jüdischen Lebens und Leidens, a.a.O.

Am nächsten Morgen, am 8. November 1941, brachte mein Vater unseren
Hausschlüssel zur Polizeistation, und als er zurückkam, erzählte er uns, dass
schon Hunderte von Juden vor ihm dort gewesen seien. Das wenigstens war ein
klein bisschen Hoffnung: Wir würden nicht allein sein. Wir verließen die Han-
sastr. 40 um zehn Uhr, warfen noch einen Blick auf das, was wir nie wiederse-
hen würden. Als wir uns in der alten Loge an der Moorweidenstraße
meldeten, wurden unsere Koffer zuerst von Mitgliedern des Judenrates und der
Gestapo untersucht und dann in einem Lagerraum abgestellt. Dann mussten wir
uns nach den Anfangsbuchstaben unserer Namen entweder rechts oder links
aufreihen. Es standen vier Tische an jeder Seite und dahinter jeweils ein Mitglied des Judenrates und ein Gestapo- oder SS-Mann.

Oben: Ehemaliges jüdisches Gemeinschaftshaus in der Hartungstrasse
Unten: Der Hannöversche Bahnhof diente als Deportationsbahnhof für fast alle
Transporte. Aus Hamburg. Aus: Bauche, a.a.O.

Am Tisch Nr. 1 musste man seinen Namen angeben, Geburtsdatum und Adresse. Daraufhin wurde eine Karte aus der Kartei genommen, und der SS-Mann strich den Namen auf einer langen Liste durch. Am nächsten Tisch musste man seine Kennkarte abgeben und folgendes Dokument unterzeichnen:

„ Ich, der unterzeichnete Jude, bestätige hiermit, ein Feind der Deutschen Regierung zu sein und als solcher kein Anrecht auf das von mir zurückgelassene Eigentum, auf Möbel, Wertgegenstände, Konten oder Bargeld zu haben. Meine deutsche Staatsbürgerschaft ist hiermit aufgehoben, und ich bin vom 8. November 1941 ab staatenlos.“

Sobald das Dokument unterschrieben war, legte der SS-oder Gestapomann es in die alte Kennkarte. Man wurde zum nächsten Tisch weitergeschoben, um dort alle Taschen auszuleeren und Brieftasche oder Geld in einen großen Papierkorb zu werfen sowie jede Art von Briefen zu zerreißen, die man bei sich hatte. Der vierte Tisch war für die Einsammlung von Gold, Silber oder Juwelen bestimmt. Die Gestapo hatte augenscheinlich vergessen, daß die Juden schon 1939 alle Wertsachen hatten abgeben müssen (...)“ (5)

Anmerkungen:

1) Kennkarte
2) Heiko Morisse; Quellen: Staatsarchiv Hamburg, 241-1 I Justizverwaltung I, 2212; Staatsarchiv Hamburg, 241-2 Jus-tizverwaltung-Personalakten, Abl. 2002/01 Rosenberg, Anna; Staatsarchiv Hamburg, 552-1 Jüdische Gemeinden, 992e 2, Bd. 1 und 2; Staatsarchiv Hamburg, 552-1 Jüdische Gemeinden, Kultussteuer-kartei; Hamburger jüdische Opfer des Nationalsozialismus, Gedenkbuch, Hamburg 1995, S. 346, 348, 403; Onlineversion des Gedenk-buchs des Bundesarchivs – Opfer der Verfolgung der Juden unter der natio-nalsozialistischen Gewaltherrschaft in Deutschland 1933-1945; United Sta-tes Holocaust Memori-al Museum, RG 15.083, 300/520-521; Staatsarchiv Hamburg, 351-11 Amt für Wiedergutmachung, 7552 (zu Julius Rosenberg) ; s.a.
http://db.yadvashem.org/names/nameDetails.html?itemId=11614969&language=de.
3) Plaut, Max: Die Deportationsmaßnahmen der Geheimen Staatspolizei in Hamburg. in: Freimark/Kopitzsch: a.a.O., S. 82ff. vgl. auch: Aufzeichnungen von Dr. Max Plaut über Maßnahmen der Gestapo und der SS gegen Juden nach 1939. Staatsarchv Hamburg. Bestand: Jüdische Gemeinden. 992 g.
4) Aussage v. Frau W. bei einer Stadtwanderung zu den Stätten jüdischen Le-bens und Leidens in Hamburg, durchgeführt v. der Deutsch- Jüdischen Ge-sellschaft in Hamburg.
5) Rosenberg, Heinz: Jahre des Schreckens (...) und ich blieb übrig, daß ich Dir's ansage. Göttingen 1985. nach: Projekt (...), a.a.O., Baustein 2, M 29 f1.

Über die Biografien der Familie Rosenberg siehe Kirschninck, Harald: Was kön-nen uns die Gräber erzählen, a.a.O., Bd. 1, S. 508ff

Name:	Georg Rosenberg
Geburtsdatum:	9.6.1886 in Elmshorn
Sterbedatum:	1943
Eltern:	Alexander Rosenberg und Amalie Fürstenberg
Ehegatte:	1) Gerda Mendel 2) Irma Schmidt
Kinder:	Günter (1910), Edel-Ellen (1912)
Wohnort:	Elmshorn,
Beruf:	Papiergroßhandel
Inhaftierung Pogrom 1938:	Ja, Sachsenhausen
Deportationsdatum 1:	9.11.1938
Deportationsort 1:	Sachsenhausen
Deportationsdatum 2:	19. 2.1943
Deportationsort 2:	Auschwitz
Weiterer Verbleib:	
Stolperstein:	Ja, Elmshorn und Hamburg

Georg Rosenberg wurde am 9.6.1886 als Sohn des Alexander Rosenberg und seiner Frau Amalie Fürstenberg in Elmshorn geboren. (1) Er besuchte die hiesige „Bismarckschule" (von 1895 (VI) bis 1902 (I). (2) In den EN vom 5.3.1902 stand: Georg Rosenberg besteht Reifeprüfung der Realschule. (3)

Nach seiner kaufmännischen Ausbildung stieg er in das väterliche Papierwarengeschäft in der Kirchenstrasse 4 ein, das er zum Papiergroßhandel ausbaute. Am 8.6.1909 heiratete er als 20jähriger Gerda Mendel geboren am 9.3.1886 in Elmshorn. (4)

Elmshorner Nachrichten, ohne Datum

Sie bekamen zwei Kinder, Günter Rosenberg, geboren am 1.11.1910, und Edel Ellen Rosenberg, geboren am 28.12.1912. (5) Die Ehe hielt bis 1920.

„Laut Urteil des Landgerichts in Altona vom 25.2.1920 ist die Ehe zwischen dem Georg Rosenberg und der Gerda Johanna, geb. Mendel, geschieden worden. Gerda Johanna Rosenberg, geb. Mendel führt den Familiennamen "Rosenberg-Mendel""" (6)

Georg wurde schuldig geschieden, da das Gericht ein Verhältnis mit seiner späteren zweiten Frau Irma S. als Scheidungsgrund wertete. (7) Die geschiedene Gerda zog mit ihren Kindern in die Holstenstraße 10 in Elmshorn, wo sie als Hand- und Fußpflegerin arbeitete, während ihr Sohn Günther als Messe-Steward zur See fuhr.(8) Gerda Rosenberg-Mendel studierte Gesang und Musik (1911-ca. 1920) und gab Gesangsunterricht. (9) Georg war nicht streng gläubig. Im April 1913 nahm er seinen Sohn aus der jüdischen Religionsgemeinschaft. (10)

In dieser Zeit muss Georg sehr viel Geld verdient haben. Nach Aussagen Rudolf Baums, des Sohnes vom Elmshorner Kultusbeamten David Baum, neigte er zum „Größenwahn". Er war zu dieser Zeit auch „Unterstützer der Hamburger Volksoper". (11) In der Elmshorner Zeitung wurde er 1923 sogar als Mäzen für Sport und Kultur der Stadt Elmshorn gefeiert. (12)

Am 28.4.1920 beging die Mutter Amalie Rosenberg Selbstmord durch Erhängen. (13) Sein Vater starb am 12. März 1927 im städtischen Altenheim. (14)

Georg Rosenberg, Antrag Kennkarte, „starke Gestalt, rundes Gesicht, dunkelbraune Augen, graue Haare", Stadtarchiv Elmshorn

Am 8.11.1921 heiratete Georg die Irma Hedwig Friederike Schmidt (geb. am 24.10.1883), verwitwete Jacob aus Gaarden. Sie war eine Christin (15) und brachte einen Sohn mit in die Ehe.

Seit Mitte der 20iger Jahre ging es mit den Geschäften Georg Rosenbergs immer weiter zurück. Lange Zeit musste ein Buchprüfer aus Hamburg kommen (16). Georg geriet auf die schiefe Bahn. Am 7.4.1923 wurde er wegen unerlaubter Ausfuhr zu 5000 M, am 18.2.1922 wegen Umsatzsteuerhinterziehung zu 2908 M und am 28.11.1929 wegen Konkursvergehens und Betruges zu zwei Monaten Gefängnis auf Bewährung verurteilt. (17)

Georg meldete Konkurs an und sein Geschäft in der Kirchenstr. 4 wurde im April 1926 zwangsversteigert. (18) Weitere Immobilien und Grundstücke wurden vor dem Konkurs noch auf Gerda Rosenberg-Mendel und die Kinder überschrieben. (19)

Nach dem Konkurs half Georg zunächst im Handarbeitsladen seiner zweiten Frau Irma in der Peterstrasse 28 mit. 1929 verlegten sie das Geschäft in die Königstrasse 54. (20) Er nahm eine Stelle als Reisevertreter für eine Elmshorner Margarinefabrik an.

Nach der Machtergreifung durch die Nationalsozialisten und dem Boykott vom 1.4.1933, bei dem auch das Geschäft in der Königstrasse boykottiert wurde (21), kam es 1936 zu einem antisemitischen Angriff auf Georg.

„Georg Rosenberg war 1936, wie schon des Öfteren, als Handelsvertreter nach Wyk auf Föhr gereist. Er wohnte, wie immer, im Strandhotel bei Frau P. Dort wurde er in den Morgenstunden von einem SA-Mann, dem Sohn der Hotelbesitzerin, und einem weiteren SA-Mann aus dem Hotel geprügelt und dann durch den halben Ort verfolgt. Nachdem Georg Rosenberg die beiden angezeigt hatte, warfen sie ihm vor, den dortigen Kolonialwarenhändler betrogen zu haben. Dafür gab es aber keine Beweise. Georg Rosenberg war sogar in seiner Anzeige bereit, diese zurückzuziehen, wenn die beiden Täter für die Winterhilfe spendeten und seine zusätzlichen Kosten übernehmen würden.
Das Verfahren wurde eingestellt, nachdem aus Elmshorn das polizeiliche Führungszeugnis eingetroffen war. Dieses begann mit den Worten: "Der Kaufmann Georg Rosenberg, wohnhaft in Elmshorn, Peterstraße 28 ist Jude. Der Ruf des Rosenberg ist kein guter." Das Schreiben endete: „Im Übrigen kann gesagt werden, dass man es bei Rosenberg mit einem typischen Juden mit typisch jüdischem Charakter und Einstellung zu tun hat." (22) Mittlerweile liefen 1936 gegen seine Frau Irma mehrere Anzeigen wegen Betruges und Untreue zum Nachteil ihrer Lieferanten, diese wurden aber laut Elmshorner Polizei ihrem Mann zugeschrieben. (23)

Georg verarmte zusehends. Schon am 24.7.1935 kam es zu folgendem Beschluss in der Elmshorner Jüdischen Gemeinde: „Dem Antrage des Kaufmannes Georg Rosenberg auf Stundung seiner Schulden beim Fürsorgezweckverband in Höhe von 382,30 RM wird entsprochen. Der Nachweis, dass Rosenberg mehr Einkommen hat als angegeben, ist nicht zu erbringen." (24)

In der Nacht des Novemberpogroms 9.11.1938 wurde Georg verhaftet und nach Sachsenhausen ins Konzentrationslager verschleppt. (25) Am 23.12.1938 wurde er wieder aus dem KZ entlassen. Irma trennte sich von ihm und heiratete später erneut. Nachdem seine Frau ihn hinausgeworfen hatte, nahm ihn die Familie Otto Oppenheim für drei Wochen auf. Nach Aussagen von Rudolf Oppenheim hatte seine „arische" Frau Irma ihn angezeigt. (26)

In den EN vom 25.7.39 war zu lesen:

„Festgenommen wurde am Montag, dem 24.Juli, der frühere Kaufmann, der Jude Georg Rosenberg. Er lebte in der letzten Zeit von Unterstützungen der jüdischen Gemeinschaftshilfe und versuchte, bei Behörden Hilfe in seiner angeblichen "Notlage" zu finden. Es wurden bei seiner Festnahme 452,16 RM bei ihm vorgefunden. Diese Summe hatte Rosenberg nach jüdisch-devisenschieberischer Weise in dem Futter seiner rechten Hosenklappe versteckt. Die Gestapo wird sich jetzt wieder einmal mit ihm beschäftigen." (27)

Nach seiner Freilassung zog Georg am 30. August 1939 nach Hamburg in die Borgfelder Str. 24 und meldete sich dort in der Jüdischen Gemeinde zum Juli 1940 an. (28) 1941 erkrankte er und wurde arbeitslos. Daraufhin wurde er von der Beitragspflicht für die Gemeinde freigestellt. (29) Am 5. Juni 1942 wurde die Ehe mit Irma geschieden und im Oktober 1942 wurde Georg in das Judenhaus Beneckestr. 2 (ehemalige jüd. Gemeinde Benekestr.) umgesiedelt. (30) Von hier wurde er am 19. 2.1943 mit dem Transport 29 von Berlin nach Auschwitz-Birkenau nach Auschwitz deportiert, wo er ermordet wurde. (31)

Sein Sohn Günther Rosenberg zog 1936 nach Hamburg in die Brahmsallee 24, 1937 folgte ihm seine Mutter Gerda. Ellen wanderte 1935 nach England aus und gründete dort ein Fußpflegeinstitut.

„Im August 1939 gelang es Gerda Rosenberg, Deutschland zu verlassen. Sie flog von Hamburg nach Croydon (England). Vor ihrer Ausreise musste sie eine „Judenvermögensabgabe" in Höhe von 3.000 RM und eine „Degoabgabe" an die Deutsche Golddiskontbank in Höhe von 363 RM zu zahlen. Als nach dem Beginn des Zweiten Weltkriegs alle „feindlichen Ausländer" in Großbritannien interniert wurden, wurde auch Gerda Rosenbergs Fall geprüft. Sie wurde jedoch von der Internierung ausgenommen.

In Großbritannien wurde Gerda Rosenberg nicht mehr als Gesangslehrerin aktiv. Vielmehr arbeitete sie in Romford (Essex) als Assistentin im Fußpflege-Institut ihrer Tochter, die bereits 1935 ins Exil gegangen war. Da sie zeitweise krank war, war ihr Einkommen in dieser Zeit nicht sehr beständig." (32)

Günther reiste im November 1939 nach Shanghai. Nach dem Krieg kam er zurück und betrieb bis in die 70er Jahre das Handarbeitsgeschäft in der Königstrasse 54. (33)

Für Georg Rosenberg wurden in Elmshorn in der Kirchenstrasse 4 und in Hamburg in der Borgfelder Strasse 24 jeweils ein Stolperstein verlegt.

Stolperstein Kirchenstrasse 4. ©Harald Kirschninck

Anmerkungen:

1) Personendatei Kirschninck
2) Archiv Bismarckschule
3) Elmshorner Nachrichten vom 5.3.1902
4) Kennkarte
5) Kennkarten
6) Urteil Landgericht Altona vom 25.2.1920
7) Ebenda
8) Elmshorner Adressbuch 1934, Elmshorner Stadtarchiv
9) Fetthauer, Sophie http://www.lexm.uni-hamburg.de/object/lexm_lexmperson_00004162
10) Vorstandssitzung, Gemeindeprotokolle v. 17.4.1913
11) Interview mit Rudolf Baum
12) Elmshorner Nachrichten vom 21.8.1923
13) Kennkarte, Personenstandsregister
14) ebenda
15) ebenda
16) Aussage Frau Andresen
17) LASH 354-2256 Auszug Strafregister
18) LASH 510-3331
19) Grundbuch Elmshorn Bd18, Bl.894
20) LASH 510-3331
21) Die jüdischen Inhaber schlossen an dem Boykotttag nach Aufzug der SA-Trupps ihre Läden. Daher kam es zu keinen weiteren Ausschreitungen in Elmshorn. Ausführlicher in :
Kirschninck, Harald: Die Geschichte der Juden in Elmshorn. 1918-1945. Band 2. Norderstedt 2005.
22) LASH 354-2256
23) LASH 354-2256
24) Gemeindeprotokolle, 24.7.1935
25) Über den Novemberpogrom 1938 und dessen Verlauf in Elmshorn siehe ausführlich in:
Kirschninck, Harald: Die Geschichte der Juden in Elmshorn. 1918-1945. Band 2. Norderstedt 2005.
26) Aussage von Rudolf Oppenheim

27)   Elmshorner Nachrichten vom 25.7.1939

28)   Wohlenberg, Jürgen und Thevs,Hildegard, Ausführungen zur Stolperstein-Verlegung von Georg Rosenberg in Hamburg

29)   Ebenda

30)   ebenda

31)   Liste von Deportierten aus Berlin, Gedenkbuch Berlins der jüdischen
Opfer des Nationalsozialismus, Freie Universität Berlin, Zentralinstitut
für sozialwissenschaftliche Forschung, Edition Hentrich, Berlin 1995.
Und:
Gillis-Carlebach, Miriam: Memorbuch zum Gedenken an die jüdischen,
in der Schoa umgekommenen Schleswig-Holsteiner und Schleswig-
Holsteinerinnen. HH o.J.

32)   Fetthauer, Sophie, http://www.lexm.uni-
hamburg.de/object/lexm_lexmperson_00004162

33)   Wohlenberg, Jürgen und Thevs,Hildegard, Ausführungen zur Stolperstein-Verlegung von Georg Rosenberg in Hamburg

Über die Biografien der Familie Rosenberg siehe Kirschninck, Harald: Was können uns die Gräber erzählen, a.a.O., Bd .1, S. 142ff

Name:	Julius Rosenberg
Geburtsdatum:	29.8.1884 in Elmshorn
Sterbedatum:	11.4.1944 in Minsk
Eltern:	John Rosenberg und Henriette Mendel
Ehegatte:	1) Lilly Strauss 2) Edith Scherer
Kinder:	Erich David Rosenberg
Wohnort:	Elmshorn, Hamburg
Beruf:	Kaufmann, Import-Export-Handel
Inhaftierung Pogrom 1938:	unbekannt
Deportationsdatum 1:	25.10.1941
Deportationsort 1:	Lodz
Deportationsdatum 2:	8.11.1941
Deportationsort 2:	Minsk
Weiterer Verbleib:	
Stolperstein:	Ja, Elmshorn und Hamburg

Julius Rosenberg wurde am 29.8.1884 in Elmshorn als Sohn des John Rosenberg und Henriette Mendel geboren. (1) Er erlernte den Beruf eines Kaufmanns und betrieb später einen Import-Export-Handel in Hamburg. (2) Seit dem 1.5.1910 war er Mitglied im EMTV (Elmshorner Männerturn-Verein). (3) Er war vermutlich nicht lange ein Mitglied, da er mit seinem Vater John 1911 nach Hamburg zog. In Hamburg wohnte er am Eppendorfer Baum 4. (4) Julius war zweimal verheiratet. Mit seiner ersten Frau Lilly Strauss, geb. am 3.5.1885, bekam er einen Sohn Erich David Rosenberg (geb. 4.8.1910 in Elmshorn) (5). Am 25.10.1936 verstarb Lilly Rosenberg in Hamburg. (6) 1938 heiratete Julius Rosenberg zum zweiten Mal: Edith Scherer, geboren am 10.2.1894 als Tochter des Papierhändlers Heinrich Scherer und seiner Frau Bertha, geb. Hirsch.(7)

Am 25.10.1941 wurden Julius und Edith Rosenberg zusammen mit seiner Schwester Aenne Alma Rosenberg ins Ghetto Litzmannstadt (Lodz) deportiert. (8) Von dort überstellte man sie am 08.11.1941 ins Konzentrationslager KL Minsk. (9) Am 11.4.1944 starb Julius Rosenberg in Minsk. In demselben Lager wurden auch seine Frau Edith Rosenberg (10) und seine Schwester Friederike Stork ermordet. (11) Die Deportation wurde bei den Ausführungen unter Änne Rosenberg beschrieben. Über die Biografien der Familie Rosenberg siehe Kirschninck, Harald: Was können uns die Gräber erzählen, a.a.O., Bd. 1, S. 508ff.

https://commons.wikimedia.org/wiki/File:Stolperstein_Eppendorfer_Baum_4_%28Julius_Rosenberg%29_in_Hamburg_Harvestehude.JPG?uselang=de
Copyright: Hinnerk 11

https://upload.wikimedia.org/wikipedia/commons/7/7e/Stolperstein_Eppendorfer_Baum_4_%28Edith_Rosenberg%29_in_Hamburg_Harvestehude.JPG

Anmerkungen:

1) Kennkarte
2) Personendatei Kirschninck
3) Röschmann: 75 Jahre EMTV, a.a.O.
4) https://commons.wikimedia.org/wiki/File:Stolperstein_Eppendorfer_Baum _4_%28Julius_Rosenberg%29_in_Hamburg_Harvestehude.JPG?uselang=de
5) Kennkarte
6) Sterbeurkunde von Lilly Rosenberg, geb. Strauss. Ancestry.com. *Hamburg, Germany, Selected Deaths, 1876-1950* [database on-line]. Provo, UT, USA: Ancestry.com Operations, Inc., 2015. Original data: Personenstandsregister Sterberegister, 1876–1950. Staatsarchiv Hamburg, Hamburg, Germany.
7) Hildegard Thevs auf http://stolpersteine-ham-burg.de/index.php?&MAIN_ID=7&r_name=scherer&r_strasse=&r_bezirk=&r_stteil=&r_sort=Nachname_AUF&recherche=recherche&submitter=suchen&BIO_ID=1875)
8) Ebenda
9) http://tenhumbergreinhard.de/19331945opfer/1933-1945-opfer-r/rosenberg-julius.html
10) United States Holocaust Memorial Museum; *The eldest of the Jews in the Lodz ghetto, 1939-1944*; Record Group: *RG-15.083M*; File: *rg-15_083m_0190-00000575.*Source Information Ancestry.com. *Łódź, Poland, Vital Records of Jews in the Łódź Ghetto, 1939-1944 (USHMM)* [database on-line]. Provo, UT, USA: Ancestry.com Operations, Inc., 2013. http://db.yadvashem.org/names/nameDetails.html?itemId=11615083&language=de
11) Ebenda

Johanna Simon, geb. Sussmann

Name: Johanna Simon, geb. Sussmann
Geburtsdatum: 20.6.1864   in Elmshorn
Sterbedatum: 8.2.1944   in Theresienstadt
Eltern: Joel Sussmann und Sara Hirsch
Ehegatte: Simon
Kinder:
Wohnort: Elmshorn, Hamburg
Beruf:
Deportationsdatum 1:   19.7.1942
Deportationsort 1:   Theresienstadt
Deportationsdatum 2:
Deportationsort 2:
Weiterer Verbleib:
Stolperstein: Nein

Johanna Simon wurde als Johanna Sussmann am 20.6.1864 in Elmshorn als Tochter von Joel Sussmann und Sara Hirsch geboren. (1) Sie waren acht Geschwister. Johanna heiratete einen Herrn Simon und zog nach Hamburg. Am 19.7.1942 wurde sie in das Ghetto Theresienstadt deportiert, wo sie dann am 8.2.1944 starb. (2)

Anmerkungen:

1) Personendatei Kirschninck
2) Gedenkbuch Berlin, a.a.O.

Name:	Gustav Stern	
Geburtsdatum:	27.3.1877	in Hannover
Sterbedatum:	1941/42	in Minsk
Eltern:		
Ehegatte:		
Kinder:		
Wohnort:	Hannover, Elmshorn, Hamburg	
Beruf:		
Inhaftierung Pogrom 1938:	Ja, Sachsenhausen	
Deportationsdatum 1:	9.11.1938	
Deportationsort 1:	Sachsenhausen, 1939 Glasmoor	
Deportationsdatum 2:	8.11.1941	
Deportationsort 2:	Minsk	
Weiterer Verbleib:		
Stolperstein:	Nein	

Gustav Stern wurde am 27.3.1877 in Hannover geboren, wohnte in Elmshorn und Hamburg. Beim Novemberpogrom 1938 wurde er vermutlich verhaftet und ins KZ Sachsenhausen deportiert. Er kam noch im Jahre 1938 wieder aus Sachsenhausen frei, wurde aber sofort wieder in Hamburg inhaftiert. 1939 brachte man ihn ins Gefängnis Glasmoor. Am 8.11.1941 wurde ins Ghetto Minsk deportiert (1) und dort ermordet. (2)

Anmerkungen:

1) Gedenkbuch Berlin, a.a.O.
2) Ancestry.com. Global, Find A Grave-Index für Nicht-Bestattungen, Bestattungen zur See und andere ausgewählte Bestattungsorte, 1300er Jahre bis heute [database on-line]. Provo, UT, USA: Ancestry.com Operations, Inc., 2012.

Name:	Magda Sternberg
Geburtsdatum:	19.7.1885 in Elmshorn
Sterbedatum:	1943 in Auschwitz
Eltern:	Adolph und Mary Sternberg
Ehegatte:	ledig
Kinder:	keine
Wohnort:	Elmshorn, Dresden
Beruf:	
Deportationsdatum 1:	21.1.1942
Deportationsort 1:	Riga
Deportationsdatum 2:	2.11.1943
Deportationsort 2:	Auschwitz
Weiterer Verbleib:	
Stolperstein:	Nein

Magda Sternberg war das vierte Kind von Adolph und Mary Sternberg. Sie wurde am 19.7.1885 in Elmshorn geboren. Später zog sie nach Dresden, von wo sie am 21.1.1942 ins Ghetto nach Riga deportiert wurde. Am 2.11.1943 wurde sie mit 58 Jahren in das Vernichtungslager Auschwitz transportiert, wo sie ermordet wurde. (1) Magda Sternberg scheint ihr Leben lang nicht geheiratet zu haben. Weitere biografische Angaben fehlen.

Magda Sternberg Höhere Töchterschule um
1900 hinten 2.re. Privatarchiv Harald Kirschninck

Name:	Mary Sternberg, geb. Hirsch
Geburtsdatum:	12.6.1862 in Oldesloe
Sterbedatum:	21.8.1942 in Theresienstadt
Eltern:	
Ehegatte:	Adolph Sternberg
Kinder:	Otto (1881), Else (1882), Frieda (1884), Magda (1885), Olga (1886), Willi (1888) und Fernande (1889)
Wohnort:	Oldesloe, Elmshorn, Mainz, Hamburg
Beruf:	
Deportationsdatum 1:	15.7.1942
Deportationsort 1:	Theresienstadt
Deportationsdatum 2:	
Deportationsort 2:	
Weiterer Verbleib:	
Stolperstein:	Ja, in Hamburg

Adolph Sternberg wurde am 19.4.1850 in Wilster als Sohn des Kaufmanns Bendix Sternberg und Jeanette, geb. Neuhaus, geboren. Er wurde von Beruf Kaufmann. Wann er nach Elmshorn gezogen war, ist nicht bekannt. In Elmshorn wohnte er in der Marktstrasse und in der Schulstrasse 49. (1) Er heiratete hier am 25.6.1877 Regine Mendel, geboren am 29.11.1849 in Elmshorn als Tochter von dem Lederhändler Isaac Mendel und Rosa, geb. David. (2) Das Paar hatte vermutlich keine Kinder. Regine beging nur zweieinhalb Jahre nach der Hochzeit am 5.12.1879 Selbstmord durch Erhängen. (3)
Am 6.8.1880 wurde das Aufgebot für Adolph und die 18jährige Mary Hirsch bestellt. (4) Mary wurde am 12.6.1862 in Oldesloe geboren (5).
Adolph und Mary Sternberg lebten in einem religiösen Haushalt. Dieses zeigte sich auch darin, dass er 1880 eine religiöse Person als Haushaltshilfe suchte. (6) Er stand dem Zionismus nahe und spendete 1891 für „Eretz Israel" („Land Israel"). (7) Adolf und Mary bekamen sieben Kinder: Otto (1881), Else (1882), Frieda (1884), Magda (1885), Olga (1886), Willi (1888) und Fernande (1889).

Adolph verstarb am 29.6.1904 in Elmshorn. Er brauchte die Verbrechen, die in der Zeit des Nationalsozialismus an seiner Frau, seinen Kindern und Enkeln verübt wurden, nicht mehr zu erleben.

Mary Sternberg verzog am 6.2.1937 nach Mainz in die Marktstr. 8. (8) Sie ist von dort zurück nach Hamburg gezogen in die Rothenbaumchaussee 217. (9) Gertrud Oppenheim (10) sandte Mary noch Papiere für Shanghai, aber es war zu spät. (11) Am 15.7.1942 wurde sie von Hamburg nach Theresienstadt deportiert, wo sie dann knapp einen Monat später mit achtzig Jahren am 21.8.1942 verstarb. (12) Für Mary Sternberg wurde in Hamburg ein Stolperstein verlegt. (13)

Über die Biografien der Familie Sternberg siehe Kirschninck, Harald: Was können uns die Gräber erzählen, a.a.O., Bd. 2, S. 9ff

https://commons.wikimedia.org/wiki/File:Stolperstein_Rothenbaumchaussee_217_(Mary_Sternberg)_in_Hamburg-Harvestehude.JPG. Foto: NordNordWest, Lizenz: Creative Commons by-sa-3.0 de

Anmerkungen:

1) Adressbuch Elmshorn 1903.
   http://www.adressbuecher.genealogy.net/addressbooks/place/ELMORNJ
   O43TS?offset=400&start=S&max=25
2) Kennkarte, Personendatei Kirschninck
3) Zivilstandsregister, Kennkarte, Personendatei Kirschninck
4) Anzeige Elmshorner Nachrichten vom 6.8.1880: Zum Aufgebot gelangt:
   Kaufmann Adolf Sternberg in Elmshorn mit Mary Hirsch in Oldesloe
5) Kennkarte, Personendatei Kirschninck
6) Posner, a.a.O.
7) Ebenda
8) Einwohnermeldeamt Elmshorn
9) Gedenkbuch Bundesarchiv
10) Auskunft Gertrud Oppenheim
11) Brief Gertrud Oppenheim an Christian Rostock vom 8.2.1976
12) Gedenkbuch Bundesarchiv
13) http://www.stolpersteine-
    ham-
    burg.de/?&MAIN_ID=7&r_name=sternberg&r_strasse=&r_bezirk=&r_sttei
    l=&r_sort=Nachname_AUF&recherche=recherche&submitter=suchen&BI
    O_ID=521

Name:	Otto Sternberg
Geburtsdatum:	29.9.1881 in Elmshorn
Sterbedatum:	1941/42
Eltern:	Adolph und Mary Sternberg
Ehegatte:	Elfriede Cohen
Kinder:	Margot (1909), Adolf (1910), Helmut (1910), Heinz (1912), Wolfgang (1913), Werner (1915) und Ingeborg (1922)
Wohnort:	Elmshorn, Neukirchen, Duisburg
Beruf:	kaufmännischer Angestellter, Kassenbote
Inhaftierung Pogrom 1938:	unbekannt
Deportationsdatum 1:	11.12.1941
Deportationsort 1:	Riga
Deportationsdatum 2:	
Deportationsort 2:	
Weiterer Verbleib:	
Stolperstein:	Ja, in Duisburg-Ruhrort

Otto Sternberg wurde am 29.9.1881 als erstes Kind von Adolph und Mary Sternberg in Elmshorn geboren. (1) Er war Soldat im 1. Weltkrieg und stand auf der Gedenktafel in der Synagoge. Otto verzog über Neukirchen am 2.10.1905 nach Duisburg. Er war von Beruf kaufmännischer Angestellter und arbeitete als Kassenbote. Otto heiratete Elfriede Cohen, die am 27.4.1881 in Krefeld geboren wurde. Das Paar bekam sieben Kinder: Margot (1909), Adolf (1910), Helmut (1910), Heinz (1912), Wolfgang (1913), Werner (1915) und Ingeborg (1922). (2)

Martin Krampitz schrieb in der Zeitung „Der Westen" folgende Zeilen zu dem Schicksal der Familie Otto Sternberg:

Otto Sternberg. Ausschnitt vom Bild der Gedenktafel aus der Synagoge. Foto von Rudolf Oppenheim. ©Privatarchiv Kirschninck.

„ … Auch die Kinder der Familien Heymann/Sternberg aus Neudorf und Ruhrort gehörten zu den jüngsten aus Duisburg Deportierten. Helga Heymann (12. 8. 1936), Horst Heymann (12.3.1933), Irmgard Heymann (9.7.1934), Uri Heymann (28.8. 1938), Gisela Heymann (1.9. 1937) und Chana Sternberg (18.4.1940) wurden mit ihren Eltern am 11.12. 1941 zunächst ins baltische Lager Riga, im November 1943 nach Auschwitz verschleppt. Die Familie war eine verelendete Duisburger Arbeiterfamilie, die weder Haus noch Hof und wenig Mobiliar besaß. Otto Sternberg hatte bereits vor 1933 seine Stelle als Kassenbote verloren. Helmut Sternberg, gelernter Lagerist, war 1931 bei der Lebensmittelgroßhandlung Columbia in Neudorf arbeitslos geworden, ebenso wie sein Schwager, der Kraftfahrer Hermann Heymann.

Alle mussten sich bis zu ihrer Deportation mit Gelegenheitsarbeiten durchschleppen, zuletzt wurden sie zwangsverpflichtet. Zuletzt beschlagnahmten die Behörden das Vermögen der Familie. Von den 14 Mitgliedern überlebten nur drei: Hermann Heymann, der als Einziger nach Duisburg zurückkehrte und von 1947-1955 Vorsitzender der neuen Jüdischen Gemeinde Duisburg war, Heinz und Adolf Sternberg. Alle ihre Verwandten starben in Auschwitz …" (3)

Am 11.12.1941 wurde Otto Sternberg mit seiner Familie ab Düsseldorf nach Riga deportiert. (4) Mit dem gleichen Zug wurde Selma Cohen und Sidonie Münzer, Schwiegertochter von Otto, verschleppt, die über den Transport Folgendes aussagten:

„In der Regel erhielten die Betroffenen Ende November 1941, teilweise jedoch auch erst Anfang Dezember … eine schriftliche Mitteilung, die sie über den Zeitpunkt der Deportation und die damit zusammenhängenden Formalitäten, u.a. Abgabe ihres Vermögens, Durchsicht und Plombierung des Gepäcks sowie die Höhe der Transportkosten, informierte. … Die Züge mit den Juden aus den umliegenden Ortschaften trafen im Laufe des 10. Dezember 1941 am Düsseldorfer Hauptbahnhof ein. Von dort aus mussten alle Personen … die rund fünf Kilometer lange Strecke bis zum Schlachthof in einer streng bewachten Kolonne durch eigens zu diesem Zweck abgesperrte Straßen zu Fuß zurücklegen. … [Im Schlachthof] mussten die über tausend Menschen die Nacht vor ihrer Abfahrt aus Düsseldorf in eisiger Kälte und … zumeist stehend verbringen. Zusätzlich sahen sich die Anwesenden permanenten Schikanen durch das Wachpersonal ausgesetzt … Nach einer rund zwölfstündigen Wartezeit im Schlachthof mussten die Juden am 11. Dezember 1941, gegen 4.00 Uhr morgens, den Weg zum Güterbahnhof Derendorf antreten, wo sich die Ankunft des Personen-Sonderzuges … wesentlich verzögerte. Als Konsequenz dieser Verspätung mussten die Betroffenen zunächst bis zur Einfahrt des Zuges vier Stunden an der Verladerampe warten, um dann unter Gewaltandrohung und größter Hast in die Abteile gedrängt zu werden. … Verschiedene technische Schwierigkeiten … führten dazu, dass der Zug erst nach einer Fahrtzeit von insgesamt 61 Stunden auf dem Bahnhof Skirotava [bei Riga] ankam. [Da die Ankunft am Abend geschah, mussten die Juden] in dem mittlerweile unbeheizten Zug … die Nacht verbringen. Erst am Morgen verließen sie die Waggons« (B. Materne).

„ … Aus Borken wurden die Juden in Omnibussen, ihr Gepäck auf Lkw am 11. Dezember nach Münster gebracht. »Während der Fahrt [von Münster nach Riga] hatte ein jüdischer Verantwortlicher … für Ordnung, Ruhe und Sauberkeit zu sorgen. Dieser und die begleitenden jüdischen Ärzte und Krankenschwestern allein waren befugt, im ersten Waggon der 3. Klasse zu fahren und während eines Haltes den Zug zu verlassen« (G. Möllenhoff, R. Schlautmann-Overmeyer).
Am 16. Dezember traf der Zug im Bahnhof Skirotava bei Riga ein.“ (5)

»Zwar reichte der den Deportierten gelassene Mundvorrat, aber es gab kein Wasser. Bei der tagelangen Fahrt litten alle unter zunehmendem Durst. Wenige Transporte erhielten die Möglichkeit, Wasser zu besorgen, wenn der Zug längere Haltepausen einlegte. ... Der Winter 1941/42 gehörte im vergangenen Jahrhundert zu den kältesten in Mittel- und Osteuropa. Da die Deportationszüge mit nur einer Lokomotive fuhren, war der Ausfall der Heizung in den Waggons vorprogrammiert. ... In Skirotava wurden die Deportierten von ihren künftigen Peinigern erwartet. ... Die nach mehr als dreitägiger Fahrt steif gewordenen Menschen ... mussten zusehen, dass sie mit ihrem Handgepäck auf dem Güterbahnhof Aufstellung nahmen. ... Hier oder später nach der Ankunft im Ghetto stellte sich Kurt Krause als Ghettokommandant vor, forderte zur Abgabe von Wertsachen auf und drohte jedem, der versuchen würde, sich von der Kolonne zu entfernen, mit Erschießen. Das Gepäck sollte man zurücklassen, es würde später ins Ghetto gebracht werden. Wer nicht genug Kraft hatte, um energisch seinen Rucksack aufzusetzen, gelangte unter Umständen nur mit einem Gepäckstück ins Ghetto. Das in den Abteilen zurückgelassene Gepäck sowie der Inhalt der Güterwagen wurde, nach Transporten sortiert, zur allgemeinen Benutzung in die Kleiderkammer des Ghettos gebracht. ... In dem kalten, feuchten Klima ... quälten sich die Menschenkolonnen die mehrere Kilometer lange Strecke vom Bahnhof bis zum Ghetto ... Der Anblick, den das Ghetto den Deportierten bot, war schockierend. «

Erst vor wenigen Tagen waren die vorigen Bewohner, lettische Juden, teils ermordet, teils anderswo untergebracht worden.

»Treppenhäuser und Wohnungen machten einen verwüsteten Eindruck. Wie überstürzt der gewaltsame Aufbruch gewesen sein muss, zeigten die gefrorenen Essensreste auf den Tischen und in den Küchen. ... Die Neuangekommenen, von denen sich acht bis zehn Personen zwei kleine Zimmer teilten, mussten sich schnell auf die widrigen Umstände einstellen. Und in der Tat fanden sich auch volle Kleiderschränke und Holzvorräte vor, so dass ein Anfang gemacht werden konnte. Katastrophal waren die hygienischen Verhältnisse, da die Wasserleitungen eingefroren waren« (W. Scheffler). Die meisten Deportierten starben während der folgenden Jahre bei der Zwangsarbeit oder durch Krankheit oder wurden erschossen...“ (6)

Einen detaillierten Bericht über den Transport von Düsseldorf nach Riga am 11.12.1941 gibt es in dem Aufsatz von Ludger Heid: (7)

„Um 10 Uhr 30 verlässt der Sonderzug der Reichsbahn die Bahnhofsstation Düsseldorf-Derendorf. Es ist ein Donnerstag. Wuppertal – Hannover-Linden (18 Uhr). Um 3 Uhr 30 in der Frühe des nächsten Tages eine halbe Stunde Aufenthalt auf dem Bahnhof Berlin-Lichterfelde. Der Zug hat bereits 155 Minuten Verspätung, mokiert sich Salitter und schreibt alles feinsäuberlich auf. Auch die Feststellung, dass Juden immer wieder versuchen, nach dem Halten in einem Bahnhof mit dem reisenden Publikum in Verbindung zu treten, Post abzugeben oder sich Wasser holen zu lassen, ist wiederum ein Beleg dafür, dass die Deportation in aller Öffentlichkeit stattfindet, in dem belebte Bahnhöfe passiert werden. Die Kunden der Reichsbahn können sich zumindest Gedanken machen, wieso die Menschen mit dem Judenstern aus den Zugfenstern ihre Kinder hoch halten und um Wasser betteln – bis die Ordnungspolizei kommt und das Geschehen unterbindet. Salitter muss seine Männer wiederholt zur Räson bringen, die ein gewisses Mitgefühl für die Deportierten zeigen, muss sie daran erinnern, dass es sich um Juden handele, die keine Vergünstigungen erhalten dürfen. Kurz vor Konitz reißt der Wagen wegen seiner Überlastung auseinander. Auch reißt das Heizungsrohr. Der Stationsvorsteher in Konitz drängt auf Weiterfahrt, weil ein Rangieren nicht möglich ist. Es kommt zu einem heftigen Wortwechsel mit dem Transportkommandanten, der mit Beschwerde an die zuständige Aufsichtsbehörde droht. Es ist Gefahr im Verzuge, weil zwei Gegenzüge erwartet werden. Zwei obrigkeitsstaatliche Amtsträger des NS-Staates streiten sich:

„Er [der Stationsvorsteher – L. J. H.] stellte sogar das Ansinnen an mich", empört sich Salitter, „einen Wagen inmitten des Zuges von Juden zu räumen, ihn mit meinem Kdo. zu belegen und die Juden im Begleitwagen 2. Klasse unterzubringen". Da hat er aber falsch gewettet, die Rechnung ohne den Wirt gemacht. Ist das gar passiver Widerstand gegen eine Judendeportation?
Salitter, ganz auf eine rigide Judenpolitik eingeschworen, wittert einen verkappten Widerstand gegen seinen Auftrag: „Es scheint angebracht, diesem Bahnbediensteten von maßgebender Stelle einmal klarzumachen, daß er Angehörige der Deutschen Polizei anders zu behandeln hat als Juden". Er habe den Eindruck gehabt, so Salitter einmal in Fahrt, als ob es sich bei dem Reichsbahner um einen der Volksgenossen handele, die immer noch von den „armen Juden" zu sprechen pflegen und denen der Begriff „Jude" völlig fremd seien. ...

Der Zug kann jedoch, behelfsmäßig repariert, seine Fahrt fortsetzen. Eine Stunde unfreiwilliger Aufenthalt auf einem Nebengleis in Konitz. Die Transportopfer werden erstmals mit Wasser versorgt.

Für die Begleitmannschaften steht das Deutsche Rote Kreuz mit einer Erfrischung beflissen bereit.

Freitag, 12. Dezember 1941, gegen 10 Uhr 30: Die Beamten der Gestapo-Leitstelle Düsseldorf setzen zu dieser Stunde das Fernschreiben Nr. 13.164 unter dem Aktenzeichen II B 4/71.02/1300/41 zu Händen von „SS-Oberstubaf." Eichmann in Berlin und an den Befehlshaber der Sipo und des SD – Einsatzgruppe A – zu Händen von „SS-Stubaf." Dr. Lange in Riga ab und erstatten Vollzugsmeldung: Der Transportzug der Reichsbahn DO 38 in Richtung Riga mit insgesamt 1.007 Juden geleitet von Transportführer „Salütter"(!) habe Düsseldorf-Derendorf verlassen. Die „Transportinsassen" würden an Verpflegung Brot, Mehl, und Hülsenfrüchte für 21 Tage mitführen – sowie an Zahlungsmitteln 50.000 RM „in Reichskreditkassenscheinen". (8)

Nach zwanzig weiteren Stunden ist der Transport in Königsberg. Mitternacht. Um 5 Uhr 15 wird die Grenzstation Laugszargen erreicht. Es ist Samstagmorgen. Für die Begleitmannschaften steht wiederum das Deutsche Rote Kreuz mit einer Erfrischung bereit, will heißen, die Uniformierten   werden ausreichend und gut verpflegt. „Es wurde Graupensuppe mit Rindfleisch verabfolgt". Welch eine Fürsorge für die Täter, und welch mitleidloses Versagen der allermenschlichsten Bedürfnisse für die geschundenen Opfer! Salitter hebt die Unterstützung durch das Rote Kreuz in Bezug auf die „Verabreichung von Erfrischungen" für das Kommando in seinem Transportbericht lobend hervor...

Weinende, schreiende Säuglinge. Diese müssen, welch eine Vergünstigung, noch keinen Judenstern auf der linken Brustseite tragen. Eine drei Monate zuvor erlassene Verordnung hat bestimmt, dass jüdische Kinder unter sechs Jahren keinen gelben Stern zu tragen brauchen. Zu ihnen gehörte u.a. Uri Heymann, er ist drei Jahre alt, geboren am 28. August 1938 in Duisburg. Zu ihnen gehört auch die einjährige Chana Sternberg, am 18.April 1940 auch in Duisburg geboren. Beide tragen „typisch" jüdische Vornamen, deswegen tauchen sie in der Transportliste ohne den aufoktroyierten Zusatznamen „Sara" und „Israel" auf. Noch jünger, wohl das jüngste Kind des Transportes, ist Hanna Münzer, geboren am 20. Januar 1941 in Düsseldorf, noch keine elf Monate alt.

... Gegen 19 Uhr 30 Ankunft in Lettland. Hier macht sich schon eine erheblich kühlere Temperatur bemerkbar. Es setzt Schneetreiben mit Frost ein. Die Außentemperatur beträgt bereits 12 Grad unter Null.

Die Ankunft in Riga erfolgt um 21.50 Uhr, wo der Zug auf dem Bahnhof eineinhalb Stunden festgehalten wird. „Hier stellte ich fest, dass die Juden nicht für das Rigaer Ghetto bestimmt waren, sondern im Ghetto Skirotava, 8 km nordöstlich von Riga, untergebracht werden sollten". So Salitter.

Nach mehrmaligem Hin- und Herangieren erreicht der Transport um 23.35 Uhr die Militärrampe auf dem Bahnhof Skirotava. Salitters Männer übernehmen zunächst die Bewachung des Zuges. Um 1.45 Uhr wird die Bewachung von sechs lettischen Polizeimännern weitergeführt.

Da es bereits nach Mitternacht ist, Dunkelheit herrscht und die Verladerampe stark vereist ist, soll die Ausladung und die Überführung der Juden in das 2 km entfernte Sammelghetto erst am Sonntag früh beim Hellwerden erfolgen.

„Mein Begleit-Kdo wurde durch 2 [...] bereitgestellte Pol.-Streifenwagen nach Riga gebracht und bezog dort gegen 3 Uhr Nachtquartier", schreibt ein um seine Männer besorgter Transportkommandant Salitter. Er selbst trifft es bequemer und erhält Unterkunft im Gästehaus des Höheren SS- und Polizeiführers, Petersburger Hof, Am Schloßplatz 4.

Auf der etwa achtzigstündigen Fahrt, wenn man die Haltezeiten auch in Riga selbst hinzurechnet, bekommen die Transportopfer keinerlei Verpflegung und zweimal Wasser zum Trinken. Die Judenzüge hatten es, will man es zynisch ausdrücken, nicht eilig. Militärzüge hatten stets Vorfahrt. Es machte nichts aus, Deportationszüge stundenlang auf einem Nebengleis warten zu lassen, um andere Züge vorzulassen. Es war nicht notwendig, die Juden im Eiltempo zu ihrem Zielort zu befördern, denn sie sollten ja nicht eingesetzt, sondern getötet werden.

Ganz anders gestaltete sich der Rückmarsch des Begleitkommandos: Mit Rücksicht auf die durchnässte und verschmutzte Bekleidung, der Waffen und des Geräts ist für den nächsten Tag erst einmal Waffenreinigung und Instandsetzung und eine gewisse Erholung von der strapaziösen Fahrt angesagt. Erst am übernächsten Tag, am 15. Dezember 1941, nimmt man den einzigen Zug, der von Riga nach Tilsit verkehrt, um 15.01 Uhr. Vormittags, denn alles muss korrekt zugehen, werden noch die mitgeführten 50.000 Reichsmark „Judengelder" dem Geldverwalter der Staatspolizei in Riga übergeben.

Hören wir sein abschließendes Urteil: „Die gestellten Männer des Begleitkommandos haben zu nennenswerten Klagen keinen Anlass gegeben. Abgesehen davon, dass ich einzelne von ihnen zu schärferem Vorgehen gegen die Juden, die meine erlassenen Verbote zu übertreten glaubten [sic], anhalten musste, haben sich alle sehr gut geführt und ihren Dienst einwandfrei versehen. Krankmeldungen oder Zwischenfälle sind nicht vorgekommen". (9)

Was die Juden aus Düsseldorf und all die anderen Deportierten im Dezember 1941 in Riga-Skirotava erwartete, lässt sich einem Bericht entnehmen, den ein Überlebender, Hans Baermann aus Köln, geschrieben hat und keines weiteren Kommentars bedarf:

„ Auf dem Güterbahnhof Skirotava wurden die Menschen von lettischer SS mit Peitschen und Eisenstangen aus den Waggons geprügelt. An die Mitnahme von Gegenständen war überhaupt nicht mehr zu denken. Dann mussten die Juden bei 24 Grad Kälte, soweit war das Thermometer inzwischen gefallen, einen qualvollen Fußmarsch zum völlig überfüllten Rigaer Ghetto antreten. 177 Menschen auf 140 Quadratmetern. 30.000 Juden hatte man wenige Tage zuvor in ein Tal geführt und dort erschossen. Nach der Niedermetzelung hatten die Täter die Hügel an beiden Seiten gesprengt, so dass die Geröllmassen die Leichen verschütteten.
Hans Baermann erinnert sich: „Durchgefroren und aus gehungert kamen wir auf einem freien, schneebedeckten Feld an, wo nur eine Holzbaracke ohne Dach stand. Dort lebten bereits 4.000 Juden, die uns wie Wölfe nach Eßwaren und Trinkbarem überfielen. Die Haare wurden uns geschoren, dann teilte man uns in Kojen ein, die 45 Zentimeter hoch, 2 Meter lang und 1,50 Meter breit waren. Jede dieser Kojen beherbergte drei Lagerinsassen. Man lag auf eisüberkrusteten Brettern bei strengster Kälte. Am dritten Tag nach unserer Ankunft sahen wir das erste Brot und einen Pferdeschlitten voll mit Kartoffelschalen aus der SS-Küche in Riga".

Es kam vor, dass lettische SS-Männer aus Jux Schießübungen auf willkürlich ausgewählte Juden machten. Der Schießakt vollzog sich zum Gaudium eingeladener SS-Offiziere. Bei einer anderen Gelegenheit mussten Häftlinge auf Befehl 16 Kameraden erhängen, die bei 30 Grad Kälte im Mantel gearbeitet hatten. Jüdische Kommandos wurden zusammengestellt, die im Bickernicker Wald Massengräber schaufeln mussten, deren Ausmaße 16 x 4 x 2 Meter betrugen. Die Massengräber waren für die Transporte aus Bielefeld, Düsseldorf, Hannover, Berlin, Wien, Dresden, Kassel, Dortmund und anderen Orten bestimmt. Sogleich nach Ankunft wurden alle mit Lastwagen der Luftwaffe, des Heeres und der SS zum Wald transportiert. Vor den Gruben wurden jeweils 20 Personen ausgewählt, dann wurden von den ankommenden Lastwagen immer 200 herangeführt, ohne Unterschied des Alters und des Geschlechts entkleidet und mit Maschinengewehren zusammengeschossen. Die bereit gestellten 20 Personen hatten die Aufgabe, die Leichen in die Gruben zu befördern und mit Sand zuzuwerfen. Am Ende traf sie das gleiche Schicksal. (10)

Hilde Sherman-Zander – seit 6. Dezember 1941, acht Tage vor ihrer Deportation, verheiratet – fand sich am Morgen nach ihrem Eintreffen im Rigaer Ghetto zusammen mit sechszehn anderen Personen in einem herunter gekommenen Zimmer wieder. Einer davon war ein alter blinder Mann und ein Mädchen von etwa vier Jahren. Das erste, was sie auf der gegenüber liegenden Straßenseite sah, war die Leiche einer alten tauben Frau aus ihrem Transport. Sie hatte einen Einschuss an der Schläfe – die erste Tote in der Gefangenschaft.

Im Ghetto Riga befanden sich bereits Juden, die wenige Tage zuvor aus Köln und Kassel deportiert worden waren. Die Ghettostraßen waren nach der Herkunft der Opfer benannt. Es gab eine Kölner, eine Kasseler und bald darauf auch eine Bielefelder und eine Dortmunder Straße. Jeden zweiten Tag kam ein neuer Transport an und es gab immer wieder eine neue Straße. In der sogenannten Düsseldorfer Straße wurde eine Art Selbstverwaltung gebildet, die Namenlisten anfertigen mussten, mit Altersangabe, Herkunft und so weiter. Als hätte es eine Salitter-Liste nie gegeben.

Vom November 1942 an wählten die Mörder mit diabolischem Einfallsreichtum ein einfacheres Verfahren, um sich der Juden zu entledigen: Es kamen geschlossene Lastwagen mit Anhängern, in die insgesamt 200 Personen hineingezwängt wurden. Während der Fahrt zum Bickernicker Wald wurde eine Gasvorrichtung geöffnet. Nach etwa einer Stunde kamen die Lastwagen mit der Kleidung zurück. Die Leichen wurden verscharrt." (11)

Für Otto und Hellmuth Sternberg wurden in der Milchstrasse 8 in Duisburg-Ruhrort Stolpersteine verlegt. (12)

Elfriede Cohen verstarb am 20.6.1937 in Duisburg und ist auf dem jüdischen Friedhof Duisburg-Beeck beerdigt. (13) Von der Tochter Ingeborg (geb. 23.4.1922 in Duisburg) gibt es keine biografischen Angaben. Sie soll ebenfalls deportiert worden sein. (14)

Margot Sternberg wurde 1909 als ältestes Kind von Otto geboren. Sie heiratete Hermann Heymann und das Paar bekam fünf Kinder: Horst (1933), Irmgard (1934), Helga (1936), Gisela (1937) und Uri (1938). Sie lebten in Duisburg-Ruhrort in der Harmoniestrasse 38. Die siebenköpfige Familie wurde nach Auschwitz deportiert. Margot und die fünf Kinder wurden sofort nach der Ankunft in Auschwitz ausselektiert und vergast. Der Vater Hermann Heymann überlebte das KZ, kehrte nach Duisburg zurückkehrt und von war 1947-1955 Vorsitzender der neuen Jüdischen Gemeinde Duisburg war. Die ungeheuer belastende Vergangenheit holte ihn aber ein und er nahm sich das Leben. (15)

Anmerkungen:

1) Kennkarte
2) Personendatei Kirschninck
3) http://www.derwesten.de/nrz/nrz-info/reise-der-kinder-ohne-rueckkehr-id1709698.html
4) Gedenkbuch Bundesarchiv
5) http://www.datenmatrix.de/projekte/hdbg/spurensuche/content/pop-up-biografien-muenzer_sidonie.htm
6) http://www.datenmatrix.de/projekte/hdbg/spurensuche/content/pop-up-biografien-cohen_selma.htm
7) Heid,Ludger J.: Düsseldorf – Riga, einfache Fahrt. Mit der Reichsbahn in den Tod. A.a.O.
8) Fernschreiben II B 4/71.02/1300/41 an Reichssicherheitshauptamt, Referat IV B 4 SS-Stubaf. Eichmann, Berlin. Betrifft: Evakuierung von Juden; Vor-

gang: Bekannt, Düsseldorf 12. Dezember 1941, Wiener Library P.III. c. No. 15. Zit. n. Heid,Ludger J.: Düsseldorf – Riga, einfache Fahrt. Mit der Reichsbahn in den Tod. A.a.O.

9) Heid,Ludger J.: Düsseldorf – Riga, einfache Fahrt. Mit der Reichsbahn in den Tod. http://www.ev-forum-westfa-len.de/fileadmin/user_upload/Westfalen/EFW/4_Veranstaltungen/Archiv/03-NOV-HEID-Vortrag-_Deportation_Jahrbuch_Duesseldorf.pdf

10) Ebenda

11) Ebenda

12) https://de.wikipedia.org/wiki/Liste_der_Stolpersteine_in_Duisburg

13) http://www.steinheim-institut.de:50580/cgi-bin/epidat?sel=du1&function=Ins&jahrv=1937

14) Ebenda

15) http://mv.ancestry.de/viewer/ad1c7f88-cb58-42e0-8e04-8128be4acfa0/13119477/26228921070

Willi Sternberg

Name:	Willi Sternberg
Geburtsdatum:	25.4.1888 in Elmshorn
Sterbedatum:	1942
Eltern:	Adolph und Mary Sternberg
Ehegatte:	ledig
Kinder:	keine
Wohnort:	Elmshorn, Gelsenkirchen
Beruf:	
Inhaftierung Pogrom 1938:	Ja, Dachau
Deportationsdatum 1:	9.11.1938
Deportationsort 1:	Dachau
Deportationsdatum 2:	31.3.1942
Deportationsort 2:	Warschauer Ghetto
Weiterer Verbleib:	
Stolperstein:	Nein

Bildausschnitt: Willi Sternberg. Gedenkta-fel in Jüdischer Synagoge. Privatarchiv Kirschninck

Willi Sternberg war das sechste Kind von Adolph und Mary Sternberg. Er wurde am 25.4.1888 in Elmshorn geboren. (1) Willi besuchte die „Bismarckschule" von 1898 (VI) bis 1899 (IV). (2) Er nahm am 1. Weltkrieg teil und stand auf der Gedenktafel in der Synagoge. (3) Er war nicht verheiratet und wohnte später in Gelsenkirchen. (4) Nach dem Novemberpogrom verschleppte man ihn in das Konzentrationslager Dachau, wo er vom 17.11.1938 bis zum 19.12.1938 gequält wurde. (5)

Am 31.3.1942 wurde er von Gelsenkirchen über Münster und Hannover nach Warschau deportiert. Dort starb er im Warschauer Ghetto. (6) Weitere biografische Angaben liegen nicht vor.

Adele Elsa Stoppelmann, geb. Vogel

Name:	Adele Elsa Stoppelmann, geb. Vogel
Geburtsdatum:	1.8.1877 in Bad Kreuznach
Sterbedatum:	26.10.1942 in Auschwitz
Eltern:	Moses Vogel und Caroline Neuburger
Ehegatte:	Julius Stoppelmann
Kinder:	Max Heinz (1908), Richard Stoppelmann (1910) und Hans Daniel (1912
Wohnort:	Bad Kreuznach, Elmshorn, Assen/Holland
Beruf:	
Deportationsdatum 1:	Okt. 1942
Deportationsort 1:	Auschwitz
Deportationsdatum 2:	
Deportationsort 2:	
Weiterer Verbleib:	
Stolperstein:	Ja

Julius Stoppelmann wurde am 6.1.1874 im holländischen Bellingwolde geboren. Er kam um 1900 nach Elmshorn und heiratete am 14.4.1907 Elsa Vogel, geb. am

1.8.1877 in Bad Kreuznach, Tochter von Moses Vogel und Caroline Neuburger. Beide bekamen drei Kinder, Max Heinz (1908), Richard Stoppelmann (1910) und Hans Daniel (1912). Julius engagierte sich stark in der Jüdischen Gemeinde und wurde um 1913 in den Vorstand gewählt. Hier gehörte er zu einer Gruppe von Gemeindemitgliedern, die am 17.4.1913 einen Antrag auf Urnenbeisetzung in die Vorstandssitzung einbrachten. Als der Vorsitzende Max Meyer diesen Antrag nicht zur Abstimmung zulässt und dieses mit der Verfügung des Regierungspräsidenten begründet, lässt Julius den Nachsatz ins Protokoll einfügen:

„Gegen die von Herrn Meyer abgegebene Erklärung betreffend Antrag des Herrn L. Mendel und Genossen erkläre ich mich nicht einverstanden. Unterschrieben von E.M. Ely und Julius Stoppelmann." (2)

Julius war in den Jahren 1924 bis 1934 regelmäßig im Vorstand der Gemeinde. (3) Neben der Gemeindearbeit engagierte sich Julius Stoppelmann auch für den „EMTV", dessen Ehrenförderer er wurde. Er war zudem Mitglied der „Öllersrieg" des EMTV. (4) Zusätzlich übernahm er noch das Amt des 2. Vorsitzenden im „Viehhändler-Verein Elmshorn und Umgebung". (5) Als der I. Weltkrieg 1914 ausbrach, wurde Julius Soldat. Er diente als Landsturmmann vom 18.2.1915 bis zum 21.11.1918 (6) und stand auch auf der Gedenktafel in der Synagoge zu Ehren der Teilnehmer des I. Weltkrieges.

Die Familie zog nach dem Krieg von der Gärtnerstrasse in die Norderstrasse 28. Hier lebten sie nicht nur in der unmittelbaren Nachbarschaft ihres Betriebes (Norderstrasse 4), sondern auch des Parteilokals der NSDAP, Stüben, und dem „Café Koch", wo sich regelmäßig dienstags die Schlägertrupps der SA und SS versammelten. (7)

Schon seit Ende der 20iger und Beginn der 30iger Jahre gingen die Geschäfte für die Stoppelmanns immer schlechter und 1933 war es dann so weit:

"Im Wege der Zwangsversteigerung wurde heute vor dem Amtsgericht das Haus Norderstrasse 4, Eigentümer der Viehhändler Julius Stoppelmann, ausgeboten. Der Schuldner hatte den Antrag gestellt, die Zwangsversteigerung sechs Monate auszusetzen. Hiergegen hatte die Spar- und Leihkasse Elmshorn Einspruch erhoben. Das Gericht beschloß: Der Antrag des Schuldners vom 28.April 1933 wird zurückgewiesen. Das Grundstück war mit etwa 24.600 RM belastet. Vom Finanzamt wurde der Einheitswert mit 22.000 RM eingesetzt. Das Gericht setzte diesen Einheitswert auch fest zuzüglich 3.000 RM für die auf dem Grundstück stehenden Maschinen und sonstiges Zubehör. Die Spar- und Leihkasse, die Hypotheken in dem Grundstück hatte, gab das Höchstgebot mit 1.000 RM ab. Der Zuschlag erfolgt am 11. Mai, mittags 12 Uhr." (8)

Zuvor haben Julius und Elsa noch miterlebt, wie ihr ältester Sohn Max Heinz Stoppelmann (geb. am 24.1.1908 in Elmshorn) am 21.4.1933 mit dem jüngsten Sohn Hans Daniel Stoppelmann nach Holland zu Verwandten seines Vaters zog. (9) Nach der Auswanderung der Kinder lebte für einige Jahre Julius Vogel, der Bruder von Frau Stoppelmann, bei den zurückgebliebenen Eltern. (10)
Der Niedergang der Firma, die Trennung der Familie und die zunehmende Ausgrenzung der Juden aus dem öffentlichen Leben schlugen bei Julius Stoppelmann auf die Gesundheit und er bekam schon mit 62 Jahren einen Herzinfarkt an dem er am 5.5.1936 in Elmshorn verstarb. (11)

Ehemaliges Haus von Stoppelmann. Norderstrasse 28.
©Harald Kirschninck

Zurück blieb die Mutter Elsa, die sich erst am 12. Dezember 1938 dazu entschloß, ihren Kindern nach Holland zu folgen. (12) Es folgte der zweite Weltkrieg, Deutschland besetzte Holland und begann hier ebenfalls das Leben der Juden einzuschränken und sie zu verfolgen. Es gab für Elsa Stoppelmann kein Entkommen. Adele Elsa Stoppelmann wurde 1942 in das Vernichtungslager Auschwitz-Birkenau deportiert und dort kurz nach der Ankunft am 26.10.1942 ermordet. (13)

Über die Biografien der Familie Sternberg siehe Kirschninck, Harald: Was können uns die Gräber erzählen, a.a.O., Bd. 1, S. 61ff

Anmerkungen:

1)   Personenarchiv Kirschninck
2)   Gemeindeprotokolle, Sitzung 17.4.1913, Stadtarchiv Elmshorn
3)   Posner, a.a.O.; Israelitischer Kalender für Schleswig-Holstein, a.a.O., verschiedene Ausgaben
4)   Auskunft Hans Lohmann, J. Röschmann, Festschriften Elmshorner Männerturnverein v. 1860 (EMTV)
        Aussage Christian Rostock 1982
5)   Auskunft Hans Lohmann
6)   ebenda
7)   10 Jahre NSDAP Elmshorn. o.O. o.J.
8)   Elmshorner Nachrichten, 10.5.1933
9)   Melderegister, Kennkarten Stadtarchiv Elmshorn, Privatarchiv Kirschninck
10)   Kennkarten, Stadtarchiv Elmshorn
11)   ebenda, Privatarchiv Kirschninck
12)   ebenda, Privatarchiv Kirschninck
13)   Gedenkbuch Bundesarchiv, Yad Vashem

Hans Daniel Stoppelmann

Name:	Hans Daniel Stoppelmann
Geburtsdatum:	30.10.1912 in Elmshorn
Sterbedatum:	30.6.1944 in Auschwitz
Eltern:	Julius Stoppelmann und Elsa Vogel
Ehegatte:	Netty Lezer
Kinder:	keine
Wohnort:	Elmshorn, Assen/Holland
Beruf:	Automechaniker, Chauffeur
Inhaftierung Pogrom 1938:	Nein
Deportationsdatum 1:	
Deportationsort 1:	Auschwitz
Deportationsdatum 2:	
Deportationsort 2:	
Weiterer Verbleib:	
Stolperstein:	Ja

Der jüngste Sohn von Julius Stoppelmann und Elsa Vogel war Hans Daniel Stoppelmann. Er wurde am 30.10.1912 in Elmshorn geboren. (1) Er besuchte von 1922 (VI) bis 1928 (UII) die Bismarckschule in Elmshorn. (2) Hans Daniel erlernte den Beruf des Automechanikers und arbeitete als Chauffeur. (3) Am 21.4.1933 zog Hans Daniel Stoppelmann nach Assen/Holland zu Verwandten seines Vaters. (4) Hier heiratete er am 21. Juli 1942 Netty Lezer, geb. 3.4. 1918. (5) Das Paar wohnte in Assen. Aber das neue Glück war nur von kurzer Dauer, denn beide wurden in ein Konzentrationslager verschleppt. Hans Daniel Stoppelmann wurde am 30.6.1944 in Auschwitz ermordet. (6). Netty Lezer überlebte Westerbork, Auschwitz und Bergen-Belsen und veröffentlichte später ihre Erinnerungen. (7) Sie starb am 9.3.2008 in Zoetermeer/Holland. (8)
Für Adele Elsa Stoppelmann und Hans Daniel Stoppelmann wurden in Elmshorn Stolpersteine gesetzt.

Getrouwd: 5219
Hans Stoppelman
en
Netty Lezer.

Jaap Magnus
en
Riek Lezer.
Assen, Juli.

Heiratsanzeige Hans Daniel Stoppelmann Aus: Het Joodsche Weekblad, 7 August 1942 nach: http://www.communityjoodsmonument.nl/page/296110/nl

```
dirgen pol hsrn
gew dir pol lw          Leeuwarden,  13 april  1943, 14.15 uur, hba.
telexbericht no. 1333.

aan den heer wnd. directeur-generaal van politie te h o o g - s o e -
r e n.

      ten vervolge op mijn telexbericht van hedenmorgen no. 1332,
heb ik de eer uhoogedelgestrenge hieronder nog te doen toekomen
de nadere gegevens van de in het ziekenhuis te assen verblijvende
joden:
1.  abraham a. s t e r n, geboren 16 maart 1893 te hoogeveen,
2.  frouwien s t e r n, geboren magnes, geboren 27 april  1896 te
    ammen:
3.  tamara g.r. d o r n f e s t, geboren 4 februari 1942 te arnhem,
4.  levie w a l v i s, geboren 5 juli  1942, geboorteplaats onbekend,
5.  victor van der h a l, geboortedatum en plaats onbekend, is plm.
    8 maanden oud:
6.  philip p o l a k, geboren 7 januari 1874 te schoonoord.
7.  simon br a m m e t, geboren 17 april  1881 te veendam,
8.  levie de j o n g, geboren 22 augustus 1921 te assen,
9.  hans d. s t o p p e l m a nn, geboren 30 october 1912 te elshorn,
10. edith l o u f e r, geboren 10 october 1942 te westerbork,
11. carel n a t h a n s, geboren 30 januari 1924 te assen.

volgens verklaring van dr. mook, directeur van het ziekenhuis te
assen kunnen vorenstaande personen niet vervoerd worden.

                              de wnd. gew. politiepresident,
                                    y. de boer.

dirgen pol hsrn
rr....nb

slslslslsl
```

Telegramm vom 13. April 1943, nach: http://www.communityjoodsmonument.nl/page/357541/nl

Hiemink, Martin: Assen - Auschwitz - Assen, oorlogsherinneringen van Netty Lezer uit de Rolderstraat in Assen, Zuidwolde 2006

Stolpersteine Adele Elsa und Hans Daniel Stoppelmann, Norderstrasse 28 in Elmshorn. ©Harald Kirschninck

Anmerkungen:

1) Kennkarte, Privatarchiv Kirschninck
2) Archiv Bismarckschule, Auskunft Peter Semlies
3) https://www.joodsmonument.nl/nl/page/151091/hans-daniel-stoppelman
4) Privatarchiv Kirschninck
5) Het Joodsche Weekblad, 7 August 1942
6) https://www.joodsmonument.nl/nl/page/151091/hans-daniel-stoppelman
7) Hiemink, Martin: Assen - Auschwitz - Assen, oorlogsherinneringen van Netty Lezer uit de Rolderstraat in Assen, Zuidwolde 2006
8) https://www.geni.com/people/Jetta-Lezer/6000000032467402944

Friederike Stork, geb. Rosenberg

Name:	Friederike Stork, geb. Rosenberg
Geburtsdatum:	20.1.1883 in Elmshorn
Sterbedatum:	1941/42
Eltern:	John Rosenberg und Henriette Mendel
Ehegatte:	Siegfried Stork
Kinder:	keine
Wohnort:	Elmshorn
Beruf:	
Deportationsdatum 1:	8.11.1941
Deportationsort 1:	Minsk
Deportationsdatum 2:	
Deportationsort 2:	
Weiterer Verbleib:	
Stolperstein:	Nein

Das erste Kind von John und Henriette Rosenberg war Friederike Rosenberg. Sie wurde am 20.1.1883 in Elmshorn geboren und heiratete am 1.7.1910 in Elmshorn den Kaufmann und Vertreter Siegfried Stork, geb. am 5.1.1884. (1) Das Paar wohnte im Nagelsweg 15 in Hamburg. (2) Obgleich in den USA Alfred Rosenberg Geld für die Auswanderung in die USA hinterlegt hat (3), wurde Friederike Stork zusammen mit ihrem Ehemann Siegfried am 8. November 1941 nach Minsk (Ghetto) deportiert und dort ermordet. (4)

Anmerkungen:

1)   Kennkarte
2)   Adressbuch Hamburg
3)   Ancestry.com. Einzahlungskarten des Jewish Transmigration Bureau (Büro jüdischer Auswanderung), 1939-1954 (JDC) [database on-line]. Provo, UT, USA: Ancestry.com Operations Inc, 2008. Ursprüngliche Daten: Jewish Transmigration Bureau Files and Index. New York: American Jewish Joint Distribution Committee Archives.
4)   http://tenhumbergreinhard.de/19331945opfer/05aaff9bf8101ce2f/05 aaff9c2e1176b0f.html ; Memorbuch z. Gedenken an die jüdischen, in der Schoa umgekommenen SH und Shinnen

Name:	Günther Simon Valk
Geburtsdatum:	4.4.1921 in Altona
Sterbedatum:	1941/42
Eltern:	Moritz Oppenheim und Recha, geb. Fürst
Ehegatte:	ledig
Kinder:	keine
Wohnort:	Elmshorn, Altona, Hannover, Hamburg
Beruf:	
Inhaftierung Pogrom 1938:	Nein
Deportationsdatum 1:	15.12.1941
Deportationsort 1:	Riga
Deportationsdatum 2:	
Deportationsort 2:	
Weiterer Verbleib:	
Stolperstein:	Nein

Hedwig Valk (Oppenheim) wurde am 6.11. 1900 in Elmshorn als fünftes Kind und einzige Tochter des Pferdehändlers Moritz Oppenheim und seiner Frau Recha, geb. Fürst, geboren. (1) Gertrud Oppenheim beschrieb Hedwig Oppenheim als eine Frau mit sehr blonden Haaren. (2) Sie heiratete am 23.10.1919 in Elmshorn den Kaufmann Semmy (Sammy, Senny) Valk. (3) Sie bekamen einen Sohn, Günther Simon Valk, geboren am 4.4.1921 in Altona. (4) Am 6.7.1924 wurde die Ehe laut Urteil des Landgerichts in Hamburg geschieden.(5) Hedwig stirbt mit 27 Jahren am 17.1.1928. (6)

Sammy Valk (geb. 11.5.1889 in Lübeck), schwer verwundet im Frühjahr 1917 im 1. Weltkrieg (7), wohnte in Lübeck, Hamburg und Hannover und emigrierte am 14.12. 1938 in die Niederlande und wurde von dort über das Lager Westerbork am 8. Juni 1943 nach Sobibor deportiert, wo er gleich nach der Ankunft am 11. Juni 1943 ermordet wurde. (8)

Sohn Günther Simon wurde am 15.12.1941nach Riga deportiert und ermordet. (9)

Anmerkungen:

1) Kennkarte, Personendatei Kirschninck
2) Aussage Gertrud Oppenheim, Sept. 1976
3) Kennkarte
4) Stammbaum Yossi Beck
5) Ancestry.com. Hamburg, Germany, Deaths, 1874-1950 [database on-line]. Provo, UT, USA: Ancestry.com Operations, Inc., 2015. Original data: Best. 332-5 Standesämter, Personenstandsregister, Sterberegister, 1876-1950, Staatsarchiv Hamburg, Hamburg, Deutschland.
6) Friedhofsbuch
7) *Ancestry.com.* Deutschland, Verlustlisten im 1. Weltkrieg, 1914-1919 *[database on-line]. Lehi, UT, USA: Ancestry.com Operations, Inc., 2*011. Ursprüngliche Daten: *Deutsche Verlustlisten 1914 bis 1919*. Berlin, Deutschland: Deutsche Dienststelle (WASt).
8) Webb, Chris: Sobibor Death Camp: History, Biographies, Remembrance. Columbia University Press, 25.4.2017. vgl. auch: Stolpersteine Hamburg unter Stichwort: Käthe Pincus
9) Yad Vashem, Gedenkbuch Berlin

Stichwortverzeichnis:

Archive:

Archiv Bismarckschule Elmshorn, a.a.O.

Bundesarchiv Koblenz, Z 42 III/3214

Grundbuch Elmshorn, Bd.18, Bl.894

Hamburger jüdische Opfer des Nationalsozialismus, Gedenkbuch, Hamburg 1995
LASH 354-2256 Auszug Strafregister

LASH 510-3331

National Archives of Australia (Australian Government):
http://recordsearch.naa.gov.au

National Archives, Prague; Terezín Initiative Institute, National Archives, Prague; Terezín Initiative Institute.

The National Archives at Washington, D.C.; Washington, D.C.; Series Title: Passenger and Crew Manifests of Airplanes Arriving at Miami, Florida.; NAI Number: 2788541; Record Group Title: Records of the Immigration and Naturalization Service, 1787 - 2004; Record Group Number: 85

Personenarchiv Kirschninck

Staatsarchiv Hamburg, 213-1 Oberlandesgericht-Verwaltung, Abl. 3, 2008 E-1e/1/9
Staatsarchiv Hamburg, 241-1 I Justizverwaltung I, 2212
Staatsarchiv Hamburg, 241-1 I Landesjustizverwaltung I, 2210;
Staatsarchiv Hamburg, 241-1 I Landesjustizverwaltung I, 2219
Staatsarchiv Hamburg, 241-2 Justizverwaltung-Personalakten, Abl. 2002/01 Rosenberg, Anna
Staatsarchiv Hamburg, 351-11 Amt für Wiedergutmachung, 7552
Staatsarchiv Hamburg, 351-11 Amt für Wiedergutmachung, 21214

Staatsarchiv Hamburg, 522-1 Jüdische Gemeinden, 992e 2 Band 2
Staatsarchiv Hamburg, 522-1 Jüdische Gemeinden, Kultussteuerkartei
Staatsarchiv Hamburg, 552-1 Jüdische Gemeinden, 992e 2, Bd. 1 und 2
Stadtarchiv Elmshorn

United States Holocaust Memorial Museum, RG 15.083, 300/520-521

Yad Vashem

Interviews:

Aussage Frau Andresen

Interview mit Rudolf Baum

Aussage Anna Lötje, geb. Lippstadt, 1982.

Auskunft Hans Lohmann

Aussage Gertrud Oppenheim, Sept. 1976

Aussage von Rudolf Oppenheim

Aussage Christian Rostock 1982

Quellenverzeichnis:

10 Jahre NSDAP Elmshorn. o.O. o.J.

Adler, Gerald: Interview Gerald Adler, From the collection of the Gratz College Holocaust Oral History Archive, collections.ushmm.org

Adressbuch Elmshorn 1903.
Adressbuch Elmshorn 1934, Elmshorner Stadtarchiv
Adressbuch Hamburg 1925

Ancestry.com. Berlin, Germany, Marriages, 1874-1920 [database on-line]. Provo, UT, USA: Ancestry.com Operations, Inc., 2014. Original data: Heiratsregister der Berliner Standesämter 1874 - 1920. Digital images. Landesarchiv, Berlin, Deutschland.

Ancestry.com. Czechoslovakia, Selected Jewish Holocaust Records, 1938-1945 (USHMM) [database on-line]. Provo, UT, USA: Ancestry.com Operations, Inc., 2016.

Ancestry.com. Einzahlungskarten des Jewish Transmigration Bureau (Büro jüdischer Auswanderung), 1939-1954 (JDC) [database on-line]. Provo, UT, USA: Ancestry.com Operations Inc, 2008. Ursprüngliche Daten: Jewish Transmigration Bureau Files and Index. New York: American Jewish Joint Distribution Committee Archives.

Ancestry.com. Flensburg, Germany, Birth Index Cards, 1874-1902 [database on-line]. Provo, UT, USA: Ancestry.com Operations, Inc., 2014. Original data: Karteikarten zu dem Personenstandregistern Geburt. Index cards. Stadtarchiv Flensburg, Flensburg, Deutschland;

Ancestry.com. Germany, Find A Grave Index, 1600s-Current [database on-line]. Provo, UT, USA: Ancestry.com Operations, Inc., 2012.Original data: Find A Grave. Find A Grave. http://www.findagrave.com/cgi-bin/fg.cgi.

Ancestry.com. Germany, Select Deaths and Burials, 1582-1958 [database on-line]. Provo, UT, USA: Ancestry.com Operations, Inc., 2014. Original data: Germany, Deaths and Burials, 1582-1958. Salt Lake City, Utah: FamilySearch, 2013.

Ancestry.com. Global, Find A Grave-Index für Nicht-Bestattungen, Bestattungen zur See und andere ausgewählte Bestattungsorte, 1300er Jahre bis heute [database on-line]. Provo, UT, USA: Ancestry.com Operations, Inc., 2012.

Ancestry.com. Global, Find A Grave Index for Burials at Sea and other Select Burial Locations, 1300s-Current [database on-line]. Provo, UT, USA: Ancestry.com Operations, Inc., 2012.Original data: Find A Grave. Find A Grave. http://www.findagrave.com/cgi-bin/fg.cgi.

Ancestry.com. Flensburg, Deutschland, Geburtskarteikarten 1874-1902 [database on-line]. Provo, UT, USA: Ancestry.com Operations, Inc., 2014. Ursprüngliche Daten: Karteikarten zu dem Personenstandregistern Geburt. Index cards. Stadtarchiv Flensburg, Flensburg, Deutschland

Ancestry.com. Hamburg, Germany, Deaths, 1874-1950 [database on-line]. Provo, UT, USA: Ancestry.com Operations, Inc., 2015.Original data: Best. 332-5 Standesämter, Personenstandsregister, Sterberegister, 1876-1950, Staatsarchiv Hamburg, Hamburg, Deutschland.

Ancestry.com. Hamburg, Germany, Marriages, 1874-1920 [database on-line]. Provo, UT, USA: Ancestry.com Operations, Inc., 2015.Original data: Best. 332-5 Standesämter, Personenstandsregister, Sterberegister, 1876-1950, Staatsarchiv Hamburg, Hamburg, Deutschland.

Ancestry.com. Lima, Peru, Civil Registration, 1874-1996 [database on-line]. Provo, UT, USA: Ancestry.com Operations, Inc., 2014. Original data: Peru, Lima, Civil Registration, 1874-1996. Salt Lake City, Utah: FamilySearch, 2013.

Ancestry.com. USA, Sterbeindex der Sozialversicherung, 1935-2014[database on-line]. Provo, UT, USA: Ancestry.com Operations Inc, 2011. Ursprüngliche Daten: Social Security Administration. Social Security Death Index, Master File. Social Security Administration.

Ancestry.com. U.S., Social Security Death Index, 1935-2014 [database on-line]. Provo, UT, USA: Ancestry.com Operations Inc, 2011.Original data: Social Security Administration. Social Security Death Index, Master File. Social Security Administration

Ancestry.com. Deutschland, Verlustlisten im 1. Weltkrieg, 1914-1919 [database on-line]. Lehi, UT, USA: Ancestry.com Operations, Inc., 2011. Ursprüngliche Daten: Deutsche Verlustlisten 1914 bis 1919. Berlin, Deutschland: Deutsche Dienststelle (WASt).

Einwohnerverzeichnis Elmshorn 1935.

Elmshorner Nachrichten vom 5.3.1902

Elmshorner Nachrichten vom 21.8.1923

Elmshorner Nachrichten vom 31.1.1930

Elmshorner Nachrichten, 10.5.1933

Elmshorner Nachrichten 28.7.38,29.7.38

Elmshorner Nachrichten vom 25.7.1939

Friedhofsakte 16.8.40, Stadtarchiv Elmshorn

Friedhofsbuch, Stadtarchiv Elmshorn

Gemeindeprotokolle v. 17.4.1913, Stadtarchiv Elmshorn

Haeftlingsliste des Lagers Theresienstadt, Terezínská pametní kniha / Theresienstädter Gedenkbuch, Institut Theresienstädter Initiative, Band I–II: Melantrich, Praha 1995; Band III: Academia, Praha 2000.

Het Joodsche Weekblad, 7 August 1942

Israelitischer Kalender für Schleswig-Holstein, a.a.O., verschiedene Ausgaben

Plaut, Max: Aufzeichnungen von Dr. Max Plaut über Maßnahmen der Gestapo und der SS gegen Juden nach 1939. Staatsarchiv Hamburg. Bestand: Jüdische Gemeinden. 992 g.

Plaut, Max: Die Deportationsmaßnahmen der Geheimen Staatspolizei in Hamburg. in: Freimark/Kopitzsch: a.a.O.

Protokolle Beigeordneten 12.6.1935, Stadtarchiv Elmshorn

Rechnungsbücher der jüdischen Gemeinde, Stadtarchiv Elmshorn

Röschmann, J.: Festschriften Elmshorner Männerturnverein v. 1860 (EMTV)

Leo Baeck Institut: Baum Collection, New York

Leo Baeck Institut: Brief Siegfried Knobloch an Paula Baum, 15.12.1941, in: Baum-Collection, Leo Baeck Institute
Posner, a.a.O..

United States Holocaust Memorial Museum; The eldest of the Jews in the Lodz ghetto, 1939-1944; Record Group: RG-15.083M; File: rg-15_083m_0190-00000575.Source Information Ancestry.com. Łódź, Poland, Vital Records of Jews in the Łódź Ghetto, 1939-1944 (USHMM) [database on-line]. Provo, UT, USA: Ancestry.com Operations, Inc., 2013.

Zivilstandsregister der jüdischen Gemeinde

Abbildungsverzeichnis:

Vienna and Barcelona Jewish Displaced Persons and Refugee Cards.
New York: American Jewish Joint Distribution Committee Archives.

38   Häftlingsliste des Lagers Theresienstadt, Terezínská pametní kniha /
Theresienstädter Gedenkbuch, Institut Theresienstädter Initiative,
Band I–II: Melantrich, Praha 1995; Band III: Academia, Praha 2000.

41   Antrag auf Ausstellung einer Kennkarte. Stadtarchiv Elmshorn.

42   Foto: Stolperstein Heinrich Basch, Eppendorferweg 227 in Hamburg.
Hinnerk 11. lizenziert unter der Creative-Commons-Lizenz
Stolperstein Heinrich Basch. Sievekingplatz 1 in Hamburg. Hinnerk 11.
lizenziert unter der Creative-Commons-Lizenz

46   Abb. aus: *Nachrichten Worms 02.04.2013*

47   http://www.magdeburger-chronist.de/md-chronik/stolperst.html

49   Laufgraben 37. Paulinenstift. Foto: Privatbesitz Dr. Ursula Randt. Aus:
http://www.hagalil.com/archiv/2006/06/waisenhaeuser.htm
https://commons.wikimedia.org/wiki/File:Otto_Cohn_-
_Goernestra%C3%9Fe_2_(Hamburg-Eppendorf).Stolperstein.nnw.jpg
NordNordWest, Lizenz: Creative Commons by-sa-3.0 de

50   Foto links: https://commons.wikimedia.org/wiki/File:Gerd_Cohn_-
_Goernestra%C3%9Fe_2_(Hamburg-Eppendorf).Stolperstein.nnw.jpg.
NordNordWest, Lizenz: Creative Commons by-sa-3.0 de
Foto rechts: https://commons.wikimedia.org/wiki/File:Vera_Cohn_-
_Goernestra%C3%9Fe_2_(Hamburg-Eppendorf).Stolperstein.nnw.jpg.
NordNordWest, Lizenz: Creative Commons by-sa-3.0 de

52   Dr. Arthur Daniel Dieseldorff. Nach:
http://dieseldorff.com/stammbaum/. O. Autor. O. Ort. O. Jahr.

53   Rudolf und Aida Dieseldorff. . Nach:
http://dieseldorff.com/stammbaum/. O. Autor. O. Ort. O. Jahr.

54   Rudolf und Aida Dieseldorff. 1958. . Nach:
http://dieseldorff.com/stammbaum/. O. Autor. O. Ort. O. Jahr.

55   Die erste größere Christlich Evangelische Kirche in Lima, gebaut 1958
von Ing. Rudolf Dieseldorff und Architekt Oscar Arrisueño, mit der
Mitwirkung eines guten holländischen Freundes. Aus:
http://dieseldorff.com/stammbaum/.O.A., O.O., O.J.

59   https://commons.wikimedia.org/wiki/File:Rosa_Goldschmidt_-
_Uferstra%C3%9Fe_17_(Hamburg-Barmbek-
S%C3%BCd).Stolperstein.nnw.jpg

61   Julius Hasenberg und seine Söhne. Foto: Privatbesitz Irene Butter-
Hasenberg
Gedenktafel Synagoge. Bild von Rudolf Oppenheim, Privatarchiv Ha-
rald Kirschninck

64   John Hasenberg, Privatarchiv Irene Butter-Hasenberg
Die Eltern John und Gertrude Hasenberg, 1926 oder 1927. Privatarchiv
Butter-Hasenberg
Werner und Irene Hasenberg. Privatarchiv Irene Butter-Hasenberg

69   John und Irene Hasenberg, um 1935. Privatbesitz Irene Butter
Lageplan Konzentrationslager Westerbork. Foto: Wikipedia.

72   Sterbeurkunde John Hasenberg, Privatbesitz Irene Butter-Hasenberg

73   Grabstein John Hasenberg in Laupheim, Foto: Schick, Michael: Erinnerung an den Zug, der in die Freiheit fuhr. Die Geschichte und das
Schicksal der Familie Hasenberg. http://www.ggg-
lauphe-
im.de/Berichte%20von%20Mitgl/100%20Hasenberg%20HP/100%20H
asenberg.html
Irene Butter 1945 als 15-jährige, kurz nach ihrer Ankunft in den USA.
Privatarchiv Irene Butter-Hasenberg

75   Stolperstein John Hasenberg. Kirchenstrasse 40. ©Harald Kirschninck

76   Gedenkblatt John Hasenberg, Yad Vashem

77   Stolpersteinverlegung vor Kirchenstrasse 40 in Elmshorn am
      15.4.2008, Foto: Kirschninck

81   Hertha, Lutz, und Ursula Helischkowski, Bild: Familienarchiv Jeffrey E.
      Meyerson (USA), aus: Meyerson, Jeffrey E., Stolperstein Duisburger
      Strasse 12. Stolpersteine Berlin.
      Alex Helischkowski, Foto aus geni.com

82   Hochzeit Hertha Hasenberg und Alex Helischkowski   Bild: Familien-
      archiv Jeffrey E. Meyerson (USA), aus: Meyerson, Jeffrey E., Stolper-
      stein Duisburger Strasse 12. Stolpersteine Berlin.
      Hochzeit von Herta Hasenberg und Bruno Behr. Foto: aus geni.com

84
      https://commons.wikimedia.org/wiki/File:Stolperstein_Isestra%C3%9
      Fe_113_(Ferdinand_Hertz)_in_Hamburg-Harvestehude.JPG Foto:
      Hinnerk11

85   Ancestry.com. *Hamburg, Germany, Marriages, 1874-1920* [database
      on-line]. Provo, UT, USA: Ancestry.com Operations, Inc., 2015.Original
      data: Best. 332-5 Standesämter, Personenstandsregister, Sterberegis-
      ter, 1876-1950, Staatsarchiv Hamburg, Hamburg, Deutschland.

88   Foto: Manufaktur- und Modewarengeschäft Dierks & Hertz, Elkan
      Nachfolger: mit freundlicher Genehmigung von Bodo Christiansen:
      www.judeninbleckede.de.Foto und Copyright: Sammlung Jens Loh-
      mann, Bleckede

90   Albert Hirsch als Soldat im 1. Weltkrieg.
      Gertrud Hirsch. Beide Fotos von Heinz Hirsch. ©Privatarchiv Kir-
      schninck.

91   Wohnhaus der Familie Hirsch in der Lornsenstrasse 35. Foto: Heinz
      Hirsch. ©Privatarchiv Kirschninck.

Israelitischen Kalender von 1926/27. Inserat Kal.SH 5687, S. 68.

92   Konservenfabrik Hirsch. Bilder von Heinz Hirsch. ©Privatarchiv Kir-
        schninck

93   Ehem. Fabrik Hirsch im Gerlingweg 13. Aufn. Von Sartorti. O.J.
        http://www.spurensuche-kreis-
        pinneberg.de/spur/zwangsarbeiterlager-lager-wilhelm-bull-
        gerlingweg-13/
        Ehepaar Gertrud und Albert Hirsch. Bild von Heinz Hirsch. ©Privatar-
        chiv Kirschninck

96   Schreiben von Bull an die Kundschaft der „Holsteinischen Konserven-
        fabrik". Aus: Billstein, Aurel: Der große Pogrom, die „Reichskristall-
        nacht" in Krefeld. Krefeld 1978

97   Albert Hirsch. Foto: Heinz Hirsch. ©Privatarchiv Kirschninck
        Albert Hirsch. Foto: Heinz Hirsch. ©Privatarchiv Kirschninck

98   Horst Karlick und Heinz Hirsch. Aufnahme in Peru o.J. Foto von Heinz
        Hirsch. ©Privatarchiv Harald Kirschninck.

101   Bundesarchiv Koblenz, Z 42 III/3214

102   Ancestry.com. Hamburg, Germany, Deaths, 1874-1950 [database on-
        line]. Provo, UT, USA: Ancestry.com Operations, Inc., 2015.Original da-
        ta: Best. 332-5 Standesämter, Personenstandsregister, Sterberegister,
        1876-1950, Staatsarchiv Hamburg, Hamburg, Deutschland

103   Schreiben des Regierungspräsidenten in Schleswig an den Oberfinanz-
        präsidenten in Kiel vom 27.4.1942 aus: Paul/Carlebach: Menora und
        Hakenkreuz, a.a.O. S. 512

107   https://commons.wikimedia.org/wiki/File:Emma_Israel_-
        _Kurzer_Kamp_6_(Hamburg-Fuhlsb%C3%BCttel).Stolperstein.nnw.jpg.
        Foto: NordNordWest, Lizenz: Creative Commons by-sa-3.0 de

110   Ancestry.com. *Flensburg, Deutschland, Geburtskarteikarten 1874-1902* [database on-line]. Provo, UT, USA: Ancestry.com Operations, Inc., 2014. Ursprüngliche Daten: Karteikarten zu dem Personenstand-registern Geburt. Index cards. Stadtarchiv Flensburg, Flensburg, Deutschland

112   Stolpersteine für die Geschwister Löwenstein. ©Harald Kirschninck

115   Antrag für Ausstellung einer Kennkarte. Vorderseite. Stadtarchiv Elmshorn

116   Volksschule an der Sternschanze in Hamburg. Fotos: Kirschninck

117   Der Hannöversche Bahnhof. Aus: Bauche, a.a.O.

118   Kontrolle von persönlichen Sachen von Juden kurz vor der Deportation, November 1941, Turnhalle ehem. Kampstrasse 62 der ehem. Jüdischen Schule in Hamburg; Zeichnung der Augenzeugin Walter. Aus: Stätten jüdischen Lebens und Leidens, a.a.O.

121   Arbeitszeugnis für Ilse Lippstadt vom Schweineversicherungsvereins für Elmshorn und Umgebung von 1924. In: Rechnungsbuch der jüdischen Gemeinde Elmshorn. Stadtarchiv Elmshorn.

122   Brief der israelitischen Gemeinde von Elmshorn an Julius Lippstadt. In: Rechnungsbücher. Stadtarchiv Elmshorn.

125
        https://commons.wikimedia.org/wiki/File:Stolperstein_Curschmannstra%C3%9Fe_8_(Ilse_Lippstadt)_in_Hamburg-Eppendorf.JPG. Foto: Hinnerk11, Lizenz: Creative Commons by-sa-3.0 de

129   Stolpersteine für die Geschwister Löwenstein. ©Harald Kirschninck

132   Bundesarchiv Koblenz, Z 42 III/3214

134   Karl Löwenstein, Gedenktafel Synagoge, ©Privatarchiv Kirschninck

138   Meijer und Schorsina Meijers, Emma Hertzberg geb. Meyer, Baby Gerald, Leopold und Bertha Meyers, geb. Meyer. Bild aus: Höting, Ingeborg: Familie Meijers/Meyers in Stadtlohn (Stand: 4.12.2012) anlässlich der Stolpersteinverlegung am 10. Dezember 2012

141   Höting, Ingeborg: Familie Meijers/Meyers in Stadtlohn (Stand: 4.12.2012) anlässlich der Stolpersteinverlegung am 10. Dezember 2012

145   Leopold Meyers. Aus: Höting, Ingeborg: Familie Meijers/Meyers in Stadtlohn a.a.O.
Bertha Meyers, geb. Meyer. Aus: Höting, Ingeborg: Familie Meijers/Meyers in Stadtlohn a.a.O.

146   Max Heinz Meyers. Bild aus Höting, a.a.O.
Edith Meyers in Australien kurz nach dem Zweiten Weltkrieg. Bild aus Höting a.a.O

149   Moritz Meyers (Mitte) in Uniform während des Ersten Weltkriegs. Bild aus: Höting, a.a.O.
Hochzeit von Moritz Meyers mit Hanna Hedwig Stein am 14.10.1919. Bild aus: Höting, a.a.O.

152   Hinnerk11, Lizenz: Creative Commons by-sa-3.0 de.
https://de.wikipedia.org/wiki/Datei:Stolperstein_Gro%C3%9Fneumarkt_37_(Lea_Nemann)_in_Hamburg-Neustadt.JPG
 Hinnerk11, Lizenz: Creative Commons by-sa-3.0 de.
https://de.wikipedia.org/wiki/Datei:Stolperstein_Gro%C3%9Fneumarkt_37_(Isidor_Nemann)_in_Hamburg-Neustadt.JPG
 Hinnerk11, Lizenz: Creative Commons by-sa-3.0 de.
https://commons.wikimedia.org/wiki/File:Stolperstein_Gro%C3%9Fneumarkt_37_(Felix_Nemann)_in_Hamburg-Neustadt.JPG

153   Ancestry.com. *Hamburg, Deutschland, Sterberegister, 1874-1950* [database on-line]. Provo, UT, USA: Ancestry.com Operations, Inc., 2015. Ursprüngliche Daten: Best. 332-5 Standesämter, Personen-

standsregister, Sterberegister, 1876-1950, Staatsarchiv Hamburg, Hamburg, Deutschland.

156   Privatarchiv Harald Kirschninck

159   Recha Oppenheim, geb. Fürst. Foto Yad Vashem. Aus: Stolpersteine Hamburg. http://www.stolpersteine-ham-burg.de/?&MAIN_ID=7&r_name=oppenheim&r_strasse=&r_bezirk=&r_stteil=&r_sort=Nachname_AUF&recherche=recherche&submitter=suchen&BIO_ID=3241
Stolperstein Recha Oppenheim. Schlüterstrasse 81 in Hamburg. Foto: Hinnerk11.
https://de.wikipedia.org/wiki/Datei:Stolperstein_Schl%C3%BCterstra%C3%9Fe_81_%28Recha_Oppenheim%29_in_Hamburg-Rotherbaum.JPG
Elmshorner Nachrichten, o. Datum

161   Minna Petersen, geb. Hertz 1945. Bild aus: Eidesstattliche Erklärung vor dem Amtsgericht IZ. In: Steinburger Jahrbuch 2002,S.102
Nicolai Petersen, Konfirmation 1915/16.Bild aus: Konfirmation durch Pastor Hans Johler in Westerland.
http://www.lauritzen-hamburg.de

169   Kontrolle von persönlichen Sachen von Juden kurz vor der Deportation, November 1941, Turnhalle ehem. Kampstrasse 62 der ehem. Jüdischen Schule in Hamburg; Zeichnung der Augenzeugin Walter. Aus: Stätten jüdischen Lebens und Leidens, a.a.O.

170   Ehemaliges jüdisches Gemeinschaftshaus in der Hartungstrasse
Der Hannöversche Bahnhof. Aus: Bauche, a.a.O.

174   Elmshorner Nachrichten, ohne Datum

175   Georg Rosenberg, Stadtarchiv Elmshorn

178   Stolperstein Kirchenstrasse 4. ©Harald Kirschninck

182   https://commons.wikimedia.org/wiki/File:Stolperstein_Eppendor-
           https://commons.wikimedia.org/wiki/File:Stolperstein_Eppen
dor-
fer_Baum_4_%28Julius_Rosenberg%29_in_Hamburg_Harvestehude.J
PG?uselang=de
Copyright: Hinnerk 11

https://upload.wikimedia.org/wikipedia/commons/7/7e/Stolperstein_
Eppendor-
dor-
fer_Baum_4_%28Edith_Rosenberg%29_in_Hamburg_Harvestehude.JP
G

187   Magda Sternberg Höhere Töchterschule um 1900 hinten 2.re. Privatarchiv Harald Kirschninck

189

https://commons.wikimedia.org/wiki/File:Stolperstein_Rothenbaumc
haussee_217_(Mary_Sternberg)_in_Hamburg-Harvestehude.JPG. Foto: NordNordWest, Lizenz: Creative Commons by-sa-3.0 de

192   Otto Sternberg. Ausschnitt vom Bild der Gedenktafel aus der Synagoge. Foto von Rudolf Oppenheim. ©Privatarchiv Kirschninck.

202   Willi Sternberg. Gedenktafel in Jüdischer Synagoge. Privatarchiv Kirschninck

205   Ehemaliges Haus von Stoppelmann. Norderstrasse 28. ©Harald Kirschninck

208   Heiratsanzeige Hans Daniel Stoppelmann. aus: Het Joodsche Weekblad, 7 August 1942 nach:
http://www.communityjoodsmonument.nl/page/296110/nl
Telegramm vom 13. April 1943, nach:
http://www.communityjoodsmonument.nl/page/357541/nl

209   Hiemink, Martin: Assen - Auschwitz - Assen, oorlogsherinneringen van
        Netty Lezer uit de Rolderstraat in Assen, Zuidwolde 2006
        Stolpersteine Adele Elsa und Hans Daniel Stoppelmann, Norderstrasse
        28 in Elmshorn. ©Harald Kirschninck

Internetseiten:

https://www.ancestry.com/family-
tree/person/tree/105328208/person/260047319025/story
http://mv.ancestry.de/viewer/ad1c7f88-cb58-42e0-8e04-
8128be4acfa0/13119477/26228921070

http://www.adressbuecher.genealogy.net/addressbooks/place/ELMORNJO43TS
?offset=400&start=S&max=25

http://www.bahnhof-der-erinnerung-
hamburg.de/Namensliste%20Hamburg.pdf
http://beck.org.il/humogen/family/humo_/F119/I357/

http://www.bergenbelsen.niedersachsen.de/pdf/zurgeschichte.pdf

http://www.blankgenealogy.com/histories/Biographies/Jaffe/Paulinenstift%20c
ourtesy%20Maajan%20-%20Die%20Quelle%2C%20no.%20109%2C%202013.pdf
https://www.bundesarchiv.de/gedenkbuch/de876688
https://www.bundesarchiv.de/gedenkbuch/de999443
https://www.bundesarchiv.de/gedenkbuch/de1047354
http://www.cdu-
heiligenstadt.de/inhalte/1020078/presse/30702/stolpersteine-steine-der-
erinnerung-in-heilbad-heiligenstadt-werden-in-diesem-jahr-zum-zweiten-mal-
stolpersteine-verlegt/index.html
https://commons.wikimedia.org/wiki/File:Stolperstein_Eppendorfer_Baum_4_
%28Julius_Rosenberg%29_in_Hamburg_Harvestehude.JPG?uselang=de

https://commons.wikimedia.org/wiki/File:Gerd_Cohn_-
_Goernestra%C3%9Fe_2_(Hamburg-Eppendorf).Stolperstein.nnw.jpg

http://www.datenmatrix.de/projekte/hdbg/spurensuche/content/pop-up-biografien-muenzer_sidonie.htm
http://www.datenmatrix.de/projekte/hdbg/spurensuche/content/pop-up-biografien-cohen_selma.htm

http://www.deathcamps.org/occupation/auschwitz_de.html
http://www.deathcamps.org/occupation/trawniki_de.html
http://www.derwesten.de/nrz/nrz-info/reise-der-kinder-ohne-rueckkehr-id1709698.html

http://www.dutchjewry.org/genealogy/beck/1800.htm
http://dieseldorff.com/stammbaum
www.geni.com
https://www.geni.com/people/Jetta-Lezer/6000000032467402944

http://www.ghetto-theresienstadt.info/pages/a/aussenkommandos.htm#wulkow
http://www.hagalil.com/archiv/2006/06/waisenhaeuser.htm
http://holocaust.umd.umich.edu/butter/

http://www.holocaust.cz/databaze-obeti/obet/23985-olga-marx/

https://www.joodsmonument.nl/nl/page/151091/hans-daniel-stoppelman

http://lal.tulane.edu/sites/default/files/lal/docs/Collection%20212%20Guide.pdf
http://www.magdeburg-tourist.de/media/custom/37_18344_1.PDF?1447941631
My heritage.com
http://person.ancestry.com/tree/39888870/person/19455762176/story
http://salsagente.com/dieseldorff/

www.shoa.de

http://www.schoah.org/schoah/bruederhof.htm
http://www.spurensuche-kreis-pinneberg.de/spur/zwangsarbeiterlager-lager-wilhelm-bull-gerlingweg-13/. Erstellt von Volker Sartorti.

http://www.steinheim-institut.de:50580/cgi-
bin/epidat?sel=du1&function=Ins&jahrv=1937

http://stolpersteine-hamburg.de/index.php?MAIN_ID=7&BIO_ID=3724

http://www.stolpersteine-
ham-
burg.de/?&MAIN_ID=7&r_name=sternberg&r_strasse=&r_bezirk=&r_stteil=&r_
sort=Nachname_AUF&recherche=recherche&submitter=suchen&BIO_ID=521

http://www.stolpersteine-
ham-
burg.de/?&MAIN_ID=7&r_name=oppenheim&r_strasse=&r_bezirk=&r_stteil=&
r_sort=Nachname_AUF&recherche=recherche&submitter=suchen&BIO_ID=324
1
http://www.stolpersteine-
ham-
burg.de/?&MAIN_ID=7&r_name=Basch&r_strasse=&r_bezirk=&r_stteil=&r_sort
=Nachname_AUF&recherche=recherche&submitter=suchen&BIO_ID=3727
http://www.stolpersteine-hamburg.de/?MAIN_ID=7&BIO_ID=1164

http://www.tenhumbergreinhard.de/1933-1945-lager/auschwitz-i--
ii/auschwitz-i--ii-m.html
http://tenhumbergreinhard.de/19331945opfer/1933-1945-opfer-r/rosenberg-
julius.html

http://www.tenhumbergreinhard.de/19331945opfer/1933-1945-opfer-
b/index.html

https://www.tracingthepast.org/index.php/en/minority-census/census-
database/census-
data-
base?last_name=&first_name=&maiden_name=&place_of_birth=&birth_year_f
or_search=&street=&cck=minority_census&city=Elmshorn&search=minority_ce
nsus_search&task=search&start=25

https://www.ushmm.org/online/hsv/person_view.php?PersonId=1491259

https://www.ushmm.org/online/hsv/person_view.php?PersonId=1491260
https://de.wikipedia.org/wiki/B%E2%80%99nai_B%E2%80%99rith
https://de.wikipedia.org/wiki/Hachschara
https://de.wikipedia.org/wiki/KZ_Fuhlsb%C3%BCttel

https://de.wikipedia.org/wiki/Liste_der_Stolpersteine_in_Duisburg
http://de.wikipedia.org/wiki/KZ_Theresienstadt
http://db.yadvashem.org/names/nameDetails.html?itemId=11614969&language=de.

Literaturverzeichnis:

Billstein, Aurel: Der große Pogrom. Die „Reichskristallnacht" in Krefeld. Krefeld 1978.

Bollgöhn, Sibylle: Jüdische Familien in Lüneburg - Erinnerungen, Lüneburg 1995
Fetthauer, Sophie http://www.lexm.uni-hamburg.de/object/lexm_lexmperson_00004162
Fladhammer, Christa: in: http://www.stolpersteine-ham-burg.de/?&MAIN_ID=7&r_name=hertz&r_strasse=&r_bezirk=&r_stteil=&r_sort=Nachname_AUF&recherche=recherche&submitter=suchen&BIO_ID=1403

Gedenkbuch des Bundesarchivs Onlineversion – Opfer der Verfolgung der Juden unter der nationalsozialistischen Gewaltherrschaft in Deutschland 1933-1945

Gegen das Vergessen. Stolpersteine in Elmshorn. Eine Kunstaktion von Gunter Demnig mit der Arbeitsgemeinschaft Stolpersteine für Elmshorn. Broschüre. Elmshorn 2008.

Gillis-Carlebach, Miriam: Memorbuch z. Gedenken an die jüdischen, in der Schoa umgekommenen Schleswig-Holsteiner und Schleswig-Holsteinerinnen. Hamburg o.J.

Gottwaldt/Schulte, Judendeportationen

Hamburger jüdische Opfer des Nationalsozialismus, Gedenkbuch, Hamburg 1995

Heid,Ludger J.: Düsseldorf – Riga, einfache Fahrt. Mit der Reichsbahn in den Tod. http://www.ev-forum-westfa-len.de/fileadmin/user_upload/Westfalen/EFW/4_Veranstaltungen/Archiv/03-NOV-HEID-Vortrag-_Deportation_Jahrbuch_Duesseldorf.pdf

Hiemink, Martin: Assen - Auschwitz - Assen, oorlogsherinneringen van Netty Lezer uit de Rolderstraat in Assen, Zuidwolde 2006

Hoch, Gerhard und Schwarz ,Rolf: Verschleppt zur Sklavenarbeit. Kriegsgefangene und Zwangsarbeiter in Schleswig-Holstein, Kaltenkirchen 1985. http://www.zwangsarbeiter-s-h.de/

Höting, Ingeborg: Familie Meijers/Meyers in Stadtlohn (Stand: 4.12.2012) anlässlich der Stolpersteinverlegung am 10. Dezember 2012.

Jermies, Maximilian: John Hasenberg. In: Gegen das Vergessen, a.a.O., Kirschninck, Harald: Die Geschichte der Juden in Elmshorn. 1685-1918. Band 1. Norderstedt 2005.

Kirschninck, Harald: Die Geschichte der Juden in Elmshorn. 1918-1945, Band 2, Norderstedt 2005

Kirschninck, Harald: Was können uns die Gräber erzählen? Biografien und Geschichten hinter den Grabsteinen des jüdischen Friedhofs in Elmshorn. Bd. 1. Norderstedt 2017.

Kirschninck, Harald: Was können uns die Gräber erzählen? Biografien und Geschichten hinter den Grabsteinen des jüdischen Friedhofs in Elmshorn. Bd. 2. Norderstedt 2017.

König, Regina: "... wohl nach Amerika oder Palästina ausgewandert". Der Exodus jüdischer Familien aus dem Kreis Steinburg nach 1933

Liste von Deportierten aus Berlin, Gedenkbuch Berlins der jüdischen Opfer des Nationalsozialismus, Freie Universität Berlin, Zentralinstitut für sozialwissenschaftliche Forschung, Edition Hentrich, Berlin 1995.

Löwenstein, Karl: Minsk im Lager der deutschen Juden.

Markiewicz, Agathe: Es ist wichtig, an die Toten zu erinnern. In: Schwäbische Zeitung v. 11.3.2014

Meyerson, Jeffrey E.: Stolperstein Duisburger Strasse 12. Stolpersteine Berlin.

Möller, Klaus: http://www.stolpersteine-hamburg.de/index.php?&LANGUAGE=DE&MAIN_ID=7&p=8&BIO_ID=5077

Mosel, Wilhelm: Hamburg Deportation Transport to Minsk

Mosel, Wilhelm: Hamburg Deportation Transport to Riga.

Scheffler, Prof. Dr. Wolfgang: Zur Geschichte der Deportation jüdischer Bürger nach Riga 1941/1942. Vortrag anlässlich der Veranstaltung des Volksbundes Deutsche Kriegsgräberfürsorge e. V. am 23. Mai 2000 zur Gründung des Riga-Komitees im Luise-Schröder-Saal des Berliner Rathauses

Paul/Carlebach (Hrsg.): Menora und Hakenkreuz. Zur Geschichte der Juden in und aus Schleswig-Holstein, Lübeck und Altona (1918 – 1998). Eine gemeinsame Publikation des Forschungsprojektes „Zur Sozialgeschichte des Terrors" am Institut für schleswig-holsteinische Zeit- und Regionalgeschichte an der Bildungswissenschaftlichen Hochschule Flensburg – Universität (Schleswig) und des Joseph-Carlebach-Instituts an der Bar Ilan-Universität (Ramat Gan) Israel. Neumünster 1998.

Penning, Jörg: Die Familie Lötje – Ausgrenzung einer „privilegierten Mischehe". Zit. n.: http://www.spurensuche-kreis-pinneberg.de/spur/familie-lotje-judenverfolgung/

Rauchenberger, Dietrich: Stolperstein Ilse Lippstadt, Curschmann-Strasse 8, nach: http://www.stolpersteine-ham-burg.de/?&MAIN_ID=7&r_name=lippstadt&r_strasse=&r_bezirk=&r_stteil=&r_sort=Nachname_AUF&recherche=recherche&submitter=suchen&BIO_ID=968

Rosenberg, Heinz: Jahre des Schreckens (...) und ich blieb übrig, dass ich Dir's ansage. Göttingen 1985. nach: Projekt (...),Baustein 2, M 29 f1.

Schick, Michael: Erinnerung an den Zug, der in die Freiheit fuhr. Die Geschichte und das Schicksal der Familie Hasenberg. Vortrag Frau Irene Butter-Hasenberg in Laupheim 2014, zusammengefasst von Michael Schick in: http://www.ggg-lauphe-im.de/Berichte%20von%20Mitgl/100%20Hasenberg%20HP/100%20Hasenberg.html

Webb, Chris: Sobibor Death Camp: History, Biographies, Remembrance. Columbia University Press, 25.4.2017.

Wohlenberg, Jürgen und Thevs, Hildegard, Ausführungen zur Stolperstein-Verlegung von Georg Rosenberg in Hamburg.

Bibliografie von Harald Kirschninck:

Kirschninck, Harald: Juden in Elmshorn, Teil 1: Diskriminierung. Verfolgung. Vernichtung, Elmshorn 1996. (Beiträge zur Elmshorner Geschichte Band 9).

Kirschninck, Harald: Juden in Elmshorn, Teil 2: Isolierung. Assimilation. Emanzipation. Elmshorn 1999. (Beiträge zur Elmshorner Geschichte, Band 12).

Kirschninck, Harald: Die Geschichte der Juden in Elmshorn. 1685-1918. Band 1. Norderstedt 2005.

Kirschninck, Harald: Die Geschichte der Juden in Elmshorn. 1918-1945. Band 2. Norderstedt 2005.

Kirschninck, Harald: Was können uns die Gräber erzählen? Biografien und Geschichten hinter den Grabsteinen des jüdischen Friedhofs in Elmshorn. Bd. 1. Norderstedt 2017.

Kirschninck, Harald: Was können uns die Gräber erzählen? Biografien und Geschichten hinter den Grabsteinen des jüdischen Friedhofs in Elmshorn. Bd. 2. Norderstedt 2017.

Kirschninck, Harald: Der Zug ohne Wiederkehr. Die Deportationen jüdischer Mitbürger von Elmshorn. Norderstedt 2018

Kirschninck, Harald: Zur Geschichte der Jüdischen Gemeinde Elmshorn bis 1869. in: Stadt Elmshorn (Hrsg.): Beiträge zur Elmshorner Geschichte. Band 1. Elmshorn 1987.

Kirschninck, Harald: Zur Geschichte der Jüdischen Gemeinde Elmshorn. Teil II. Von der Emanzipation bis zur Vernichtung.
in: Stadt Elmshorn (Hrsg.): Beiträge zur Elmshorner Geschichte. Band 2. Elmshorn 1988.

Kirschninck, Harald: Beth ha Chajim - Zur Geschichte des jüdischen Friedhofes in Elmshorn. in: Stadt Elmshorn (Hrsg.): Beiträge zur Elmshorner Geschichte. Band 3. Elmshorn 1989

Kirschninck, Harald: „Wer beim Juden kauft, ist ein Volksverräter!".Der Untergang der jüdischen Gemeinde Elmshorn. In: Gerhard Paul / Miriam Carlesbach (Hrsg.): Menora und Hakenkreuz. Zur Geschichte der Juden in und aus Schleswig-Holstein, Lübeck und Altona 1918 – 1998. Neumünster 1998. S. 283 – 296.

Kirschninck, Harald: Die Juden in Elmshorn während des Dritten Reiches.

in: Bringmann/Diercks: Die Freiheit lebt. Antifaschistischer Widerstand und Naziterror in Elmshorn und Umgebung 1933 - 1945. 702 Jahre Haft für Antifaschisten. Frankfurt 1983.

Kirschninck, Harald: Die Juden in Elmshorn während des Dritten Reiches. in: Heimatverband für den Kreis Pinneberg e.V. (Hrsg.): Jahrbuch für den Kreis Pinneberg 1984. Pinneberg 1983.

Kirschninck, Harald: Die Jüdische Gemeinde Elmshorn.
in: Lorenzen-Schmidt (Hrsg.): Bei uns.... 1933 - 1945. Eine Broschüre zur gleichnamigen Ausstellung. Engelbrechtsche Wildnis 1983.

Schleswig-Holsteinischer Heimatbund (Hrsg.): Kirschninck, Harald: Beth ha Chajim – Das Haus des ewigen Lebens. Die Geschichte des jüdischen Friedhofes in Elmshorn. In: Schleswig-Holstein. Kultur.Geschichte.Natur. Sonderdruck zum Schleswig-Holstein Tag 1998. Husum 1998. S. 68 f.

Kirschninck, Harald: Niederlassung in Itzehoe. In:
Ritter / Fischer (Hrsg.): Jüdische Kultur. Steinburger Jahrbuch 2002. 46. Jg. Itzehoe 2001. S. 114 – 130.

Kirschninck, Harald: Elmshorn. Zur Geschichte des Friedhofes. In:
www.alemannia-judaica.de/schleswig_holstein_friedhoefe.htm

Kirschninck, Harald: Wo sind sie geblieben? Wohin Elmshorner Juden von den Nationalsozialisten verschleppt wurden. In: Arbeitsgemeinschaft „Stolpersteine für Elmshorn". Elmshorn 2008.

Kirschninck, Harald: Albert Hirsch. In: Arbeitsgemeinschaft „Stolpersteine für Elmshorn". Elmshorn 2008.

Kirschninck, Harald: Karl Löwenstein. John Löwenstein. Selma Levi, geb. Löwenstein. In: Arbeitsgemeinschaft „Stolpersteine für Elmshorn". Elmshorn 2008.

Lightning Source UK Ltd.
Milton Keynes UK
UKHW030627311221
396440UK00007B/556